Second year German

Wiedersehen in Ansburg

A follow-up course to
'Reisebüro Atlas'

Written by **Alexandra Marchl-von Herwarth**
Wulf Künne
Edith R. Baer

Language consultants
Dr. Sabine Lucas,
Lektorin at the University of Reading
Dr. H. P. Neureuter,
Lektor at the University of Helsinki

Produced by **Edith R. Baer**

British Broadcasting Corporation

Published in conjunction with a series of 20 BBC Radio programmes for listeners with some knowledge of everyday German, first broadcast January – June 1970

Acknowledgment is due to the following for permission to reproduce illustrations:
ALLGEMEINER DEUTSCHER AUTOMOBIL-CLUB police car, page 78; AUSTRIAN NATIONAL TOURIST OFFICE street in Salzburg, page 33; WILLY BOGNOR skier, page 8; BUNDESBILDSTELLE, BONN butcher's shop, page 86; COLOGNE TOURIST OFFICE Cologne, page 24, mosaic and St. Pantaleon, both page 26; GERMAN EMBASSY (Photos. Bundesbildstelle, Bonn) Oktoberfest, page 63, grocer's shop, page 84, (Photo Inter Nationes) hairdressers, page 60; GERMAN FEDERAL RAILWAY. DB-BILDARCHIV shops on station, page 14; GERMAN NATIONAL TOURIST OFFICE skiers, page 6, Fasching, page 36, skiers, page 44, hotel reception desk, page 54, lake, page 114; INTER NATIONES listening to records, page 120; KEYSTONE PRESS AGENCY LTD fancy dress ball, page 38, ski hut, page 42, car crash, page 90, postmen, page 96; KODAK LTD camera, page 68; HEINZ KÖSTER opera, page 50; PICTUREPOINT LTD restaurant, page 30; ZENTRALSTELLE FÜR ARBEITSVERMITTLUNG employment office exterior, page 20.

Photographs of baker's shop, page 86, dairy, page 87, table, page 102, and house, page 108, were specially taken by HANS SCHMIED. The studio on page 66 was photographed by Will Green and the sausages and cigarettes on page 94, by Photo Studios.

Acknowledgment is also due to CHARLES BRULL LTD for 'Im Prater blüh'n wieder die Bäume' by Robert Stolz; ARCADIA VERLAG for 'Heute blau und morgen blau' by Wendhof:Kloth.

The drawings on pages 123 and 124 are by Martina Selway

Published to accompany a series of programmes
prepared in consultation with the
BBC Further Education Advisory Council

Contents

Introduction

Wiedersehen in Ansburg is a course for listeners who already have some knowledge of the language and want to increase their understanding of colloquial German. It is primarily a follow-up to 'Starting German – Reisebüro Atlas' and carries on the story line. Each lesson includes plenty of dialogue for listening practice and a variety of exercises to test comprehension and to develop fluency.

The first part of the course concentrates on revising basic structures. New material is introduced gradually as the course progresses, and every fifth programme is a revision lesson. Each broadcast centres round one 'scene'. You will hear it first in sections until you have practised and assimilated what is new, then you will hear it once or twice in full until you can follow it at a normal pace.

This book is an essential part of the course and provides all the necessary background information for home study – the text of the scenes, followed by a list of new phrases and vocabulary, explanatory notes, exercises and puzzles, a reference section and full glossary.

Before the broadcast: prepare each lesson thoroughly by reading through the text of the 'scene', learning the new words and phrases, and studying the notes.

During the broadcast: concentrate on listening. Answer questions out loud during the pauses provided.

After the broadcast: go through the whole lesson again, complete the exercises and puzzles, and check your answers with the key at the back.

Signs and abbreviations

An arrow ⟶ indicates a change of form:

> *der/die/das* ⟶ *die* (i.e. *der, die, das* change to *die* in the plural)
>
> *der* ⟶ *den* (i.e. *der* changes to *den* when used with *haben, kaufen, sehen, suchen*, etc.)

A dot under the vowel shows that the vowel is stressed. Where there is no dot, the first syllable bears the stress:

> *die Reise* (stress on 1st syllable) *verreisen* (stress on 2nd syllable)

A down stroke is used to show that the two parts of the verb separate:

> *zurück/kommen:*   *ich komme zurück*, etc.

The vowel change of verbs is indicated in brackets in light type:

> *fahren* (fährt):   *ich fahre, du fährst, er, sie, es fährt, wir fahren*, etc.

The past form of verbs preferred in writing is added in square brackets when there is a vowel or consonant change:

> *fahren ([fuhr]):*   *ich fuhr, du fuhrst, er, sie, es fuhr*, etc.

The past form of verbs used with *haben* to refer to the past is given in brackets:

> *sagen (gesagt):*   *ich habe gesagt*, etc.
>
> *schreiben (geschrieben):*   *ich habe geschrieben*, etc.
>
> *bestellen (bestellt):*   *ich habe bestellt*, etc.
>
> When *sein* is used instead of *haben* it is indicated like this:
>
> *kommen (ist gekommen):*   *ich bin gekommen*, etc.

The plural of nouns is shown in brackets like this:

> *der Mann (÷er)*   plural: *die Männer*
>
> *die Frau (–en)*   *die Frauen*
>
> *das Mädchen(–)*   *die Mädchen*
>
> Where a plural is rarely used, it has been omitted. Nouns which have no plural are marked *no pl.* Those which occur in the plural are marked *pl.*

The vowel change of adjectives is shown in brackets in light type:

> *jung*(ü)   *jung* ⟶ *jünger* ⟶ *der jüngste*

1 Ursula fährt Ski

am Skihang

Skilehrer:	So, und jetzt noch einmal. Wir machen einen Schwung nach links und dann einen Schwung nach rechts. Also los! Ich fahre zuerst und warte unten auf Sie. Sehen Sie, so müssen Sie es machen. Hopp – und hopp! . . . Und jetzt alle. Los, Marjorie! Die Knie zusammen! Hopp – und hopp! Sehr schön . . .	
5 *Ursula:*	Sehen Sie, Helmut. Marjorie fährt gut. Sie kann schon wedeln.	
Helmut:	Ja. Sie verbringt ihren Urlaub immer hier. Sie kommt aus Schottland.	
Skilehrer:	Das haben Sie gut gemacht, Marjorie. Well done. Die Nächste! Monika!	
Werner:	Los, Monika!	
Monika:	Meine Schuhe drücken.	
10 *Skilehrer:*	Was ist los?	
Monika:	Warten Sie einen Moment! Meine Schuhe drücken.	
Skilehrer:	Dann fahren Sie, Helmut.	
Helmut:	Also schön. Aber so gut wie Marjorie kann ich's nicht.	
Ursula:	Helmut fährt nicht schlecht. Haben Sie ihn gesehen, Werner? Wann hat er	
15	angefangen?	
Werner:	Er hat letzten Winter angefangen – wie ich. Und Sie?	
Ursula:	Diesen Winter.	
Werner:	Aber Sie fahren schon gut.	
Ursula:	Danke. Ich habe hier viel gelernt. Ich finde unseren Skilehrer sehr gut.	
20 *Monika:*	Ach, Hans? Ich finde ihn toll.	
Ursula:	Er kann toll Ski fahren.	
Werner:	Kein Wunder! Er fährt ja immer Ski. Dann kann ich's auch. Wie lange bleiben Sie denn noch hier, Ursula?	
Ursula:	Ich habe noch eine Woche Urlaub.	
25 *Werner:*	Sie bleiben noch eine Woche hier? Das möchte ich auch gern, aber ich muß morgen wieder nach Hause fahren.	
Skilehrer:	Monika, was machen Sie denn da oben so lange? Hier wollen wir Ski fahren. Los! Schnell, schnell.	
Monika:	Mich friert. Es ist so kalt.	
30 *Skilehrer:*	Los! In die Knie gehen.	
Monika:	Na, gut . . . Oh, au, mein Fuß.	
Skilehrer:	Wo tut's denn weh?	
Monika:	Da rechts am Fuß, au.	
Skilehrer:	Na, das ist nicht so schlimm. Morgen ist er wieder in Ordnung. Und jetzt der	

Nächste. Werner! Hopp und hopp! Schön, sehr schön. Und jetzt die Letzte. Ursula, los. Hopp, hopp. Bravo Ursula!

Ursula: . . . und hopp und hopp!

Skilehrer: Halt, Ursula! So war's richtig. Halt! Aber wohin wollen Sie denn?

Ursula: Nach Hause.

Alle: Wir auch.

Monika: Wir sind müde, und es ist kalt.

Ursula: Wir wollen ins Hotel zurück. Heute abend ist Tanz im „Rößl". Kommen Sie auch, Hans?

Skilehrer: Hm . . . ja, ich . . . Also gut. Schluß für heute.

Monika: Ach, ich kann nicht gehen. Mein Fuß tut so weh. Hans, ich brauche Hilfe.

Ursula: Bis heute abend, Hans . . .

* * *

im „Rößl"

Werner: Wie finden Sie's hier im „Rößl"? Gemütlich, hm?

Ursula: Ja, so echt Tiroler Stimmung. Die Musik ist so schön.

Werner: Tanzen Sie gern? Kennen Sie diesen Walzer?

Skilehrer: Grüß Gott! Darf ich bitten?

Ursula: Oh, Hans. Wie nett! Entschuldigen Sie, Werner . . .

Skilehrer: Sie tanzen wunderbar, Ursula.

Ursula: Danke. Aber Sie können besser Ski fahren.

Skilehrer: Sie müssen nächsten Winter wieder kommen. Dann lernen Sie es auch.

Ursula: Glauben Sie?

Monika: Ach, Hans, hier sind Sie ja. Wie schön! Den nächsten Tanz tanzen wir zusammen, nicht wahr?

Skilehrer: Wie bitte, Monika? Ach ja. Na, gut.

Monika: Bis gleich!

Ursula: Jetzt weiß ich, wo der Schuh drückt!

Wörter . . .

Ski fahren (fährt Ski)	to ski
der Skihang(⸚e)	ski slope
der Skilehrer(–)	skiing instructor
der Schwung(⸚e)	turn, forward swing
also	well then
unten	below, down there
alle (*pl.*)	all, everybody
das Knie(–)	knee
wedeln (gewedelt)	to make short turns (when skiing)
drücken (gedrückt)	to press, pinch
toll	fantastic(ally), tremendous(ly)
das Wunder(–)	wonder
frieren (gefroren)	to freeze
schlimm	serious, bad
die Letzte(–n)	the last one
der Tanz(⸚e)	dance, dancing
der Schluß(⸚sse)	end, finish
Tiroler	Tyrolean
die Stimmung(–en)	atmosphere, mood
der Walzer(–)	waltz
bitten (gebeten)	to ask, request

. . . und Redewendungen

also los!	right, off you go!
hopp und hopp!	instruction to skiers to turn
die Knie zusammen!	keep your knees together
was ist los?	what's the matter?
ich kann's nicht so gut wie . . .	I can't do it as well as . . .
dann kann ich's auch	then I could do it too
mich friert	I am freezing (cold)
in die Knie gehen!	bend the knees!
es tut weh	it hurts
bravo!	well done!
wohin wollen Sie?	where do you want to go to?
heute abend ist Tanz	there's dancing tonight
Schluß für heute!	that's all for today
Grüß Gott!	greeting used in southern Germany and Austria
darf ich bitten?	may I (have this dance)?
wie bitte?	I beg your pardon, what did you say?
bis gleich!	see you
wo drückt der Schuh?	what's the trouble?

Für den Skifahrer

Skiing resorts in Bavaria, Austria and Switzerland are well equipped with chair lifts (*Sessellifts*), drag lifts (*Schlepplifts*), cable cars (*Seilbahnen*) which take skiers (*Skifahrer*) to the ski runs (*Skipisten*). Lifts can be paid for separately, but it is usually cheaper to buy a season ticket (*Abonnement*).

It is often simpler and less expensive to hire basic skiing equipment like skis, sticks and boots at the resort. It is worth ensuring that the skis you hire or buy have a special type of fastening called *Sicherheitsbindung*. This holds the boots in position but releases them automatically in case of a fall.

Ein Skifahrer braucht . . .

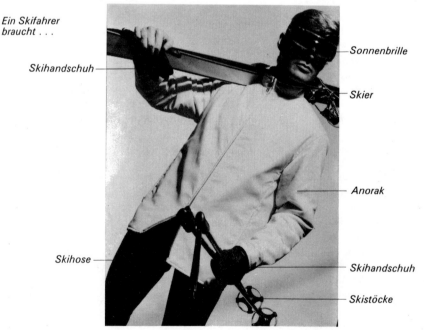

Sonnenbrille

Skihandschuh

Skier

Anorak

Skihose

Skihandschuh

Skistöcke

8

der →den . . . ein → einen

Nouns with *der*:

der changes to *den*, *dieser* to *diesen*, *(k)ein* to *(k)einen* when you say whom or what you see, hear, ask, know — what you have, want, would like — what you are buying, spending, taking, looking for, etc. Similarly, *mein → meinen, dein →deinen, sein →seinen, ihr →ihren, unser → uns(e)ren, euer →eu(e)ren, Ihr → Ihren*:

der Skilehrer:	Kennen Sie *den* Skilehrer?	Do you know the skiing instructor?
dieser Schuh:	Ich möchte *diesen* Schuh.	I'd like this shoe.
ein Koffer:	Er kauft *einen* Koffer.	He is buying a suitcase.
mein Freund:	Fragen Sie *meinen* Freund.	Ask my friend.

The same pattern applies after *für, ohne, durch*:

Der Brief ist *für meinen* Mann.	The letter is for my husband.
Sie kommt *ohne ihren* Koffer.	She is coming without her suitcase.
Müssen wir *durch diesen* Verkehr fahren?	Do we have to drive through this traffic?

— and with the expression *es gibt*:

Es gibt heute *keinen* Wein.	There is no wine today.
Es gibt nur *diesen* Weg.	There is only this way.

Nouns with *die* and *das* are not affected:

die Musik:	Kennen Sie *diese* Musik?	Do you know this music?
das Hotel:	Es gibt hier *kein* Hotel.	There is no hotel here.

Note: *mich, dich, ihn, uns, euch* are used in the same way as *den . . . einen*, etc.:

Kennen Sie *ihn*?	Do you know him?
Er möchte *mich* sehen.	He'd like to see me.
Sie hat *uns* nicht gefragt.	She didn't ask us.
Der Brief ist *für ihn*.	The letter is for him.
Kommt er *ohne dich*?	Is he coming without you?
Sie haben es *durch uns* gehört.	They heard it through us.

einen Moment . . . diesen Winter

der → den, dieser → diesen, (k)ein →(k)einen, if you want to say for how long something goes on, or when it happens:

Ich bleibe nur *einen* Tag.	I am only staying (for) a day.
Einen Moment, bitte!	Just a moment please.
Sie waren *einen* Monat dort.	They were there for a month.
Sie haben *den* ganzen Abend getanzt.	They danced the whole evening.
Wir fahren *diesen* Winter nach Bremen.	We are going to Bremen this winter.
Diesen Montag gehe ich ins Theater.	This Monday I'm going to the theatre.

As elsewhere *die/diese/(k)eine . . . das/dieses/(k)ein* do not change:

Ich bleibe noch *eine* Woche.	I am staying (for) another week.
Wir waren *dieses* Jahr in Österreich.	We were in Austria this year.

Note: *nächster/nächste/nächstes, letzter/letzte/letztes*, etc. follow the same pattern:

Nächsten Montag fahren wir nach Hause.	We are going home next Monday.
Sie hat *letzten* Winter angefangen.	She started last winter.
Ich habe die Schuhe *letztes* Jahr gekauft.	I bought the shoes last year.

Word order

The basic word order in a simple sentence is:

1	2	3
Sie	*haben*	das gut gemacht.
Wir	*wollen*	heute abend tanzen.

But if the sentence begins with something else — usually for emphasis — the order is as follows:

1	2	3
Das	*haben*	Sie gut gemacht.
Heute abend	*wollen*	wir tanzen.

Note that the verb form always remains in second place.

und, *aber*, *oder* do not affect the word order:

Aber Sie haben das gut gemacht.
Und wir wollen heute abend tanzen.

The past form of the verb comes at the end of the sentence:

Sie haben das gut *gemacht*.   Das haben Sie gut *gemacht*.
Ich habe hier viel *gelernt*.   Hier habe ich viel *gelernt*.

The word saying what you can, must, want or would like to do, also comes last:

Wir wollen heute abend *tanzen*.   Heute abend wollen wir *tanzen*.
Ich muß morgen nach Hause *fahren*.   Morgen muß ich nach Hause *fahren*.

when to use dann *and* denn

dann can be used in two ways:

● in the sense of 'then' when reference is made to what is coming next:

Zuerst gehen wir ins Hotel. *Dann* fahren wir Ski.
First we'll go to the hotel. Then we'll ski.

Ich habe eine Woche Urlaub. *Dann* muß ich wieder nach Hause.
I have one week's leave. Then I have to go home again.

●● or to mean 'in that case, under those circumstances':

Sie müssen viel Ski fahren. *Dann* lernen Sie es schnell.
You have to ski a lot. Then (under those circumstances) you'll learn it quickly.

Es ist kalt. *Dann* bleiben wir lieber zu Hause.
It is cold. In that case we'd rather stay at home.

denn frequently occurs in questions in everyday speech and often suggests impatience, curiosity or surprise. It can sometimes be rendered by 'then':

Kommen Sie *denn* nicht?   Aren't you coming (then)?
Was machen Sie *denn*?   What are you doing?
Wohin wollen Sie *denn*?   Where do you want to go to (then)?
Hat er es *denn* nicht gewußt?   Didn't he know about it (then)?

Übungen

a) Complete the sentences (e.g. *Mein Koffer* ist nicht da. Haben Sie *meinen Koffer* gesehen?):

1. Der Skilehrer ist nicht da. Haben Sie — — gesehen? *den Skilehrer*
2. Dieser Walzer ist schön. Möchten Sie — — tanzen? *diesen Walzer*
3. Wo ist mein Schuh? Ich kann — — nicht finden. *meinen Schuh*
4. Wann ist sein Urlaub? Wo verbringt er — — ? *seinen Urlaub*
5. Wo ist Ihr Freund? Ich möchte — — sprechen. *Ihren Freund*
6. Dort steht das Taxi. Wollen Sie — — nehmen? *das Taxi*
7. Wer ist dieser Herr dort? Ich kenne — — nicht. *diesen Herrn*
8. Hier ist die Zeitung. Möchten Sie — — ? *die Zeitung*
9. Der Kaffee ist gut. Trinken Sie — — ! *den Kaffee*
10. Wo sind meine Schuhe? Ich sehe — — nicht. *meine Schuhe*

b) Complete the sentences (e.g. *Ich* suche sie. Sucht sie *mich*?):

1. Ich sehe Sie nicht. Sehen Sie — ? *mich*
2. Er kennt Sie. Kennen Sie — auch? *ihn*
3. Kennst du mich nicht? Natürlich kenne ich —. *dich*
4. Wir haben dich gesucht, und du hast — gesucht. *uns*
5. Sie versteht ihn nicht. Versteht er — ? *sie sie*

c) Answer these questions using the information in brackets:

1. Wie lange bleiben Sie? (1 day) *einen Tag*
2. Wann kommt er? (next Monday) *nächsten Montag*
3. Wie lange hat er Urlaub? (1 week) *eine Woche Urlaub*
4. Wann waren Sie dort? (last winter) *letzten Winter dort*
5. Wann haben Sie Zeit? (next week) *nächste Woche Zeit*
6. Wann haben Sie angefangen? (this winter) *diesen Winter angefangen*

d) Start the answer with the words in italics (e.g. Es ist kalt *heute*. Wie bitte? →*Heute* ist es kalt.):

1. Ich fahre *morgen* nach Hause. Wie bitte? *morgen fahre ich nach Hause*
2. Sie kommt *aus Schottland*. Wie bitte? *aus Schottland kommt Sie*
3. Der Skilehrer wartet *unten* auf uns. Wie bitte? *Unten wartet der Skilehrer auf uns*
4. Das haben Sie *schön* gemacht. Wie bitte? *Schön haben Sie das gemacht*
5. Sie müssen *nächsten Winter* wieder Ski fahren. Wie bitte? *nächsten Winter müssen sie Ski fahren*

e) Check these statements about the scene. Tick the ones that are right and correct the others with complete sentences:

1. Marjorie kommt aus England. *Marjorie kommt aus Schottland*
2. Der Skilehrer findet Monika toll. *Monika findet den Skilehrer toll*
3. Monika kann nicht gehen. Ihr Fuß tut weh. ✓
4. Heute abend ist Tanz im „Rößl". ✓
5. Werner tanzt einen Walzer mit Ursula. *Der Skilehrer tanzt einen Walzer mit Ursula*
6. Monika will nicht mit Hans tanzen. *Monika will mit Hans tanzen*

11

2 Klaus hat eine Überraschung

auf dem Ansburger Bahnhof

Lautsprecher:	Achtung, Achtung! Der Zug aus Innsbruck über München läuft auf Gleis 13 ein. Bitte zurücktreten!
Klaus:	Entschuldigen Sie. Können Sie mir sagen, wo Gleis 13 ist?
Dame:	Tut mir leid. Das kann ich Ihnen nicht sagen. Gehen Sie doch an den Schalter dort und fragen Sie . . .
Klaus:	Verzeihung! Wo ist Gleis 13?
Mann am Schalter:	Gleich neben dem Ausgang. Sehen Sie nicht?
Klaus:	Doch, doch. Danke.
Mann am Schalter:	Gehen Sie am Zeitungskiosk vorbei, und Sie stehen vor der Sperre.
Klaus:	Ja, danke. Danke schön.
Mann am Schalter:	Der hat's eilig.
Klaus:	Gleis 11 . . .12 . . . 13. Das ist es!
Mann an der Sperre:	Halt! Wohin wollen Sie denn?
Klaus:	Zum Zug aus Innsbruck.
Mann an der Sperre:	Haben Sie eine Bahnsteigkarte?
Klaus:	Nein.
Mann an der Sperre:	Dann warten Sie bitte vor der Sperre. Ihre Freundin kommt sicher durch diese Sperre.
Klaus:	Glauben Sie? Aber woher wissen Sie denn . . . ?
Mann an der Sperre:	So etwas sieht man doch. Ich war auch einmal jung.
Klaus:	Ursula, Ursula! Da ist sie schon.
Mann an der Sperre:	Sehen Sie!
Klaus:	Ursula, da bist du ja wieder!
Ursula:	Ach, Klaus! Was machst du denn hier auf dem Bahnhof?
Klaus:	Ich wollte dich abholen. Wie geht's dir? Du siehst gut aus. Und braungebrannt bist du. Komm, ich muß dir einen Kuß geben.
Ursula:	Klaus! Wollen wir nicht lieber gehen?
Klaus:	Doch, doch, natürlich. Gib mir dein Gepäck. Wie war denn der Urlaub?
Ursula:	Herrlich! Das Wetter war schön, der Schnee war gut – und abends habe ich viel getanzt.
Klaus:	So.
Ursula:	Mit Hans.
Klaus:	Mit wem?
Ursula:	Mit Hans.
Klaus:	So. Wer ist denn dieser Hans?
Ursula:	Der Skilehrer natürlich. Er ist toll.
Klaus:	So.

Ursula: Wohin gehst du denn? Wir wollen doch zu den Taxis. Sie stehen
gleich rechts vor dem Ausgang.

Klaus: Komm nur! Ich muß dir etwas zeigen. Eine Überraschung.

Ursula: Eine Überraschung?

5 Klaus: Siehst du, was da auf der Straße steht?

Ursula: Wo?

Klaus: Vor dem Schild. (road) sign

Ursula: Ein Auto.

Klaus: Ja, ein Auto. Das ist mein Auto. mad

10 Ursula: Du hast ein Auto gekauft? Bist du verrückt? Du hast doch kein Geld!

Klaus: Doch, ein bißchen. Das Auto war billig, und ich wollte dir eine Freude pleasure
machen. Bitte steig ein. Ich fahre dich nach Hause . . .

*   *   *

im Auto

Klaus: Ursula, ich muß dir etwas sagen. next to

Ursula: Ich dir auch. Mein Gepäck steht noch neben dem Auto.

15 Klaus: Ach, Verzeihung! . . . Ursula?

Ursula: Ja.

Klaus: Was war mit Hans?

Ursula: Nichts. Er war sehr nett und tanzt gut . . . und . . .

Klaus: Und?

20 Ursula: Nichts. Wir sind da.

Klaus: Ich weiß. Ich fahre dich vor die Tür. Da ist ein Parkplatz. Ursula!

Ursula: Ja?

Klaus: Hast du heute abend Zeit?

Ursula: Nein, Klaus. Ich muß auspacken, und ich bin müde.

25 Klaus: So. Aber für Hans hast du Zeit gehabt.

Ursula: Klaus, jetzt muß ich dir etwas sagen. Ich hab' genug von deiner
Eifersucht. Mach's gut! cheerio

Klaus: Aber . . . Ursula, dein Gepäck!

Ursula: Stell es bitte vor die Tür. Danke! Put

30 Klaus: Hm. Das war auch eine Überraschung!

über	via
ein|laufen (läuft ein)	to pull in (train, etc.)
zurück|treten (tritt zurück)	to step back
neben (+ den *or* dem)	next to
der Ausgang(¨e)	exit
vorbei|gehen (an + dem)	to pass (by), go past
vor (+ den *or* dem)	in front of
die Sperre(-n)	barrier
eilig	hurried, in a hurry
ab|holen (abgeholt)	to meet, collect, fetch
braungebrannt	suntanned
der Schnee (*no pl.*)	snow
verrückt	mad, crazy
die Freude(-n)	joy, pleasure
die Tür(-en)	door
aus|packen (ausgepackt)	to unpack
die Eifersucht	jealousy
stellen (gestellt)	to put, stand

Achtung!	attention please
tut mir leid	sorry
Verzeihung!	excuse me, I beg your pardon
der hat's eilig	that chap is in a hurry
woher wissen Sie . . . ?	how do you know . . . ?
so etwas	something like that, such a thing
komm nur!	come along
ein bißchen	a little, a bit
eine Freude machen	to give a surprise, pleasure (to)
was war mit . . . ?	what was going on between you and . . . ?
ich hab' genug von . . .	I've had enough of . . .
mach's gut!	cheerio

Auf dem Bahnhof

In large towns, railway stations provide many amenities for passengers. Apart from trolleys selling newspapers, coffee, lemonade, sandwiches, frankfurters, there are shops where you can buy food, wine, delikatessen, cigarettes, flowers, perfume, souvenirs, etc. In addition there is usually a hairdresser's (*Friseur*), chemist's (*Drogerie*), cinema (*Kino*), post office (*Postamt*), and an exchange bureau (*Wechselstube*) where you can change travellers' cheques and currency. Most of these stay open until ten o'clock at night. Not only the travelling public find this very convenient, but also the local population, who welcome being able to shop or have a haircut after working hours. The larger stations have one or more restaurants and all-night cafés which also serve beer and other drinks. You will always find an information bureau (*Auskunftsbüro*) and an accommodation office (*Zimmervermittlung* or *Zimmernachweis*) which helps tourists to find a hotel room or private accommodation.

der/das → dem . . . die → der . . . die (*pl.*) → den

der and *das* change to *dem*, *die* to *der*, *die* (plural) to *den*. Similarly, *dieser/dieses → diesem*, *diese → dieser*, *diese* (pl.) *→diesen*, *(k)ein →(k)einem*, *(k)eine →(k)einer*, *keine* (pl.) *→keinen*. As elsewhere *mein, dein, sein, ihr, unser, Ihr* follow the pattern of *(k)ein*:

14

- with verbs implying giving, saying, showing or conveying something to a person:

Zeigen Sie *dem* Herrn, wo der Bahnhof ist.	Show the gentleman where the station is.
Geben Sie *der* Dame das Gepäck.	Give the lady the luggage.
Sie müssen *diesem* Fräulein danken.	You have to thank this young lady.
Ich will *diesen* Leuten helfen.	I want to help these people.

•• with certain stock phrases:

Es tut *meinem* Mann sehr leid.	My husband is very sorry.
Wie geht es *Ihrer* Frau?	How is your wife?
Dem Fräulein ist schlecht.	The young lady is feeling sick.
Meinen Freunden ist es zu kalt.	My friends are finding it too cold.

⁘ after *mit, von, zu, bei, nach, aus*:

Fahren Sie *mit diesem* Zug?	Are you taking this train?
Sie ist *vom* (= *von dem*) Urlaub zurück.	She is back from leave.
Ich wohne *bei meinen* Freunden.	I'm staying with my friends.
Er hat *nach einer* Dame gefragt.	He asked about a lady.

mir, dir, ihm, ihr, uns, euch, ihnen, Ihnen are used in the same pattern:

• Er zeigt *ihm* das Auto.	He is showing him the car.
Geben Sie *ihr* das Gepäck.	Give her the luggage.
•• Es tut *mir* sehr leid.	I am very sorry.
Wie geht es *Ihnen*?	How are you?
⁘ Ich gehe *mit euch* ins Kino.	I am going to the cinema with you.
Wir wohnen *bei ihnen*.	We are staying with them.

in . . . an . . . auf. . . vor . . . neben . . . über

vor (in front of, before), *neben* (next to, beside), *über* (above, about, via, over) follow the pattern of *in, an, auf*. They are followed by *dem/der . . . einem/einer*, etc. when describing where a person or thing is located; but when describing where a thing or person is moving to, they are followed by *den/die/das . . . einen/eine/ein*, etc.:

Where is . . . ?	*Where is . . . going to?*
Er sitzt *im* (= *in dem*) Zug.	Steigen Sie *in den* Zug ein.
He is sitting in the train.	Get into the train.
Sie fragt den Mann *an der* Sperre.	Er geht *an die* Sperre.
She is asking the man at the barrier.	He is going to the barrier.
Das Auto steht *vor dem* Haus.	Das Auto fährt *vor das* Haus.
The car is standing in front of the house.	The car is pulling up in front of the house.
Das Gepäck steht *neben dem* Ausgang.	Stellen Sie das Gepäck *neben den* Ausgang.
The luggage is standing next to the exit.	Put the luggage next to the exit.
Sehen Sie das Schild *über der* Tür?	Hängen Sie das Schild *über die* Tür.
Can you see the sign above the door?	Hang the sign above the door.

When *über* is used in the sense of 'about, concerning', it is followed by *den/die/das . . . einen/ eine/ein*:

Haben Sie ein Buch *über den* Schwarzwald?	Do you have a book about the Black Forest?
Er hat viel *über seine* Reise gesprochen.	He has talked a lot about his trip.

Note: *in + dem —→ im, in + das —→ ins, an + dem —→ am, an + das —→ ans.*

abholen . . . einsteigen

Many verbs are made up of two parts, which sometimes separate. In a simple sentence, a question or a command, the first part comes at the end:

Ich hole Sie vom Bahnhof *ab*.	I'll fetch you from the station.
Er steigt in den Zug *ein*.	He gets into the train.
Wann holt er uns *ab*?	When is he going to fetch us?
Warum steigen Sie denn nicht *ein*?	Why aren't you getting in?
Bitte holen Sie mich *ab*!	Please (come and) collect me.
Steig doch *ein*!	Do get in.

But when the verb comes at the end, i.e. after *möchte(n), wollen, können, müssen, dürfen, sollen* and in commands to the general public, the two parts remain joined:

Ich wollte dich *abholen*.	I wanted to fetch you.
Sie müssen gleich *einsteigen*.	You have to get in straight away.
Bitte *einsteigen*!	Please board the train.
Bitte *zurücktreten*!	Please step back.

Verbs of this type are marked with a downstroke in the word lists to show where they separate.

Word order in indirect questions

In indirect questions introduced by *wer, wo, wohin, wann, was, wie*, etc., the verb form goes to the end of the sentence:

Sagen Sie mir, was auf dem Schild *steht*.	Tell me what it says on the sign.
Wissen Sie, wo er sein Auto geparkt *hat*?	Do you know where he has parked his car?
Fragen Sie ihn, wann er heute *kommt*.	Ask him when he is coming today.
Wissen Sie, wohin sie fahren *will*?	Do you know where she wants to go to?

when to use ja *and* doch

ja basically means 'yes' when you are agreeing with someone. It is also frequently used in colloquial speech to add emphasis to a statement in the sense of 'but', 'you know', and it often suggests that what is being said is obvious:

Da sind Sie *ja*.	(But) there you are.
Es ist *ja* so kalt heute.	(But) it's so cold today.
Er fährt *ja* immer Ski.	He's always skiing (you know).

doch also means 'yes', but is used when you're contradicting someone:

Sie kennen ihn sicher nicht. Doch.	I am sure you don't know him. Yes, (I do).
Er war nicht auf Urlaub. Doch.	He wasn't on leave. Yes, (he was).

— or in reply to a question containing words like *nicht, nichts* or *kein*:

Hat Ihr Freund *kein* Auto? Doch.	Doesn't your friend have a car? Yes, (he has).
Holt er seine Frau *nicht* ab? Doch.	Doesn't he fetch his wife? Yes, (he does).
Haben Sie *nichts* gekauft? Doch.	Haven't you bought anything? Yes, (I have).

doch is also used in conversation to reinforce a statement, rather like 'after all':

Das sieht man doch.	One can see that (after all).
Er hat doch nicht viel Geld.	He hasn't much money (after all).

In requests it is the equivalent of 'do':

Kommen Sie doch!	Do come.
Erzählen Sie uns doch!	Do tell us.

16

Übungen

a) Complete the sentences with the correct form of the words in brackets:

1. Sagen Sie —— , wo der Bahnhof ist. (der Herr) *dem Herrn*
2. Es tut —— leid. (meine Frau) *meiner Frau*
3. Wie geht es —— ? (Ihr Freund) *ihrem Freund*
4. Sie hat viel mit —— getanzt. (der Skilehrer) *dem Skilehrer*
5. Fahren Sie mit —— ! (dieses Auto) *diesem Auto*
6. Wir gehen zu —— . (meine Freunde) *meinen Freunde*

b) Complete the sentences with the correct form of *der, die, das*:

1. Er wohnt in — Stadt. *der*
2. Gehen Sie an — Schalter! *den*
3. Mein Auto steht vor — Ausgang. *dem*
4. Stellen Sie unser Gepäck vor — Tür! *die*
5. Wir wollen in — Zug einsteigen. *den*
6. Der Zeitungskiosk ist neben — Hotel. *dem*
7. Ich warte auf — Parkplatz auf Sie. *dem*
8. Sehen Sie das Schild über — Tür? *der*

c) *ja* or *doch*? Answer these questions in full:

1. Hat er ein Auto gekauft? *Ja er hat ein Auto gekauft*
2. Haben Sie keine Bahnsteigkarte? *Doch ich habe eine Bahnsteigkarte*
3. Wissen Sie nicht, wann Ihre Freunde kommen? *Doch, ich weiß wann meine freunde kommen*
4. Gibt es hier keine Taxis? *Doch es gibt hier Taxis*
5. Möchten Sie gern nach Österreich fahren? *Ja ich möchte gern nach Österreich fahren*

d) Complete the sentences according to the words in brackets:

1. Sehen Sie, da steht mein Auto. Bitte —— (einsteigen)! *steigen sie ein*
2. Achtung, der Zug —— (einlaufen). *läuft ein*
3. Wann können wir ihn —— (abholen)? *abholen zeet*
4. Ich kenne seine Freundin nicht. Wie —— (aussehen)? *wie sieht sie aus*

Rätsel

Complete these statements about the scene. The fourth letters of the missing words reading downwards will tell you what spoilt the meeting between Klaus and Ursula.

Statement	Answer	Letter
Ursula hat heute abend keine Zeit. Sie ist ——.	*müde*	E
Klaus hat's ——.	*eilig*	I
Der Zug aus Innsbruck —— auf Gleis dreizehn ein.	*läuft*	F
Klaus will Ursula —— Freude machen.	*eine*	E
Klaus hat eine —— für sie.	*überraschung*	R
Er möchte ——, wer Hans ist.	*wissen*	S
—— ist braungebrannt.	*Ursula*	U
Der Zug aus Innsbruck fährt über ——.	*München*	C
—— gut, sagt Ursula zu Klaus.	*mach's*	H
Für Hans hat sie immer —— gehabt.	*Zeit*	T

17

B

3 Klaus will etwas Neues anfangen

im Reisebüro Atlas

Klaus:	Guten Morgen, Erika.
Erika:	Guten Morgen, Klaus.
Klaus:	Wie geht's? Was gibt's Neues?
Erika:	Neues? Es gibt nichts Neues. Was macht das Auto?
5 Klaus:	Es fährt. Nicht sehr schnell, aber es fährt. Ist der Chef da?
Erika:	Ja, Herr Müller ist da. Er ist so freundlich heute morgen.
Klaus:	Gut. Ich muß ihn sprechen ...
Herr Müller:	Herein! Ah Klaus, guten Morgen. Es freut mich, Sie zu sehen. Wir haben viel Wichtiges zu besprechen.
10 Klaus:	Ach, ich habe auch etwas Wichtiges zu besprechen.
Herr Müller:	So? Dann fangen Sie an.
Klaus:	Ja, Herr Müller, es ist nicht leicht zu erklären. Sie dürfen mir nicht böse sein.
Herr Müller:	Sicher nicht. Wo drückt der Schuh?
Klaus:	Herr Müller, darf ich ganz offen mit Ihnen sein? Ich muß weiterkommen und mehr
15	Geld verdienen.
Herr Müller:	Und warum? Ist das Auto so teuer?
Klaus:	Nein. Das ist es nicht. Die Sache ist schwierig zu erklären. Meine Freundin ...
Herr Müller:	Aha. Ich verstehe. Sie wollen heiraten. Das freut mich zu hören. Bald?
Klaus:	Ich weiß nicht. Ich möchte gern bald heiraten, aber ... kurz und gut, ich muß
20	mehr Geld verdienen.
Herr Müller:	Klaus, ich will versuchen, Ihnen zu helfen.
Klaus:	Das ist sehr freundlich von Ihnen, Herr Müller.
Herr Müller:	Aber ich muß Ihnen auch etwas sagen. Sie kennen doch Frau Bender?
Klaus:	Ja, natürlich. Das ist doch die Sängerin Elisabeth Gerber, unsere Kundin.
25 Herr Müller:	Richtig. Sehen Sie, Klaus. Mein Reisebüro geht gut. Aber es interessiert mich nicht mehr so sehr. Wissen Sie, ich will mehr für Frau Bender arbeiten und ihre Konzerte und Reisen organisieren. Sie verstehen ...
Klaus:	Ja, ich verstehe. Darf man gratulieren?
Herr Müller:	Noch nicht, Klaus, noch nicht.
30 Klaus:	Und was soll mit dem Reisebüro passieren?

Herr Müller:	Das übernimmt die Firma Eckert in Berlin.
Klaus:	Wie bitte? Ich soll für das Reisebüro Eckert arbeiten? Das kommt für mich nicht in Frage.
Herr Müller:	Und warum nicht? Sie kennen doch Herrn Eckert. Er ist nett und versteht etwas vom Geschäft.
Klaus:	Herr Müller, ich habe gern mit Ihnen gearbeitet. Aber ich habe keine Lust für diese Firma zu arbeiten. Da habe ich keine Gelegenheit weiterzukommen.
Herr Müller:	Ja, dann gebe ich Ihnen den Rat, etwas anderes zu suchen. Ich will Ihnen gern helfen, eine Stelle zu finden.
Klaus:	Danke, Herr Müller. Aber es muß keine Stelle sein. Ich möchte eigentlich lieber ein Geschäft aufmachen.
Herr Müller:	Klaus, machen Sie keine Dummheiten! Es ist nicht leicht, ein Geschäft aufzumachen. Für so etwas braucht man viel Geld. Darf ich Ihnen einen Rat geben? Jetzt machen Sie zuerst Urlaub. Sie dürfen vierzehn Tage länger bleiben. So lange bekommen Sie Ihr Gehalt. Dann haben Sie Zeit, etwas zu finden.
Klaus:	Vielen Dank, Herr Müller.
Herr Müller:	Keine Ursache, Klaus, und viel Glück!

* * *

Erika:	Na, wie war der Chef?
Klaus:	Freundlich, sehr freundlich. Aber verrückt.
Erika:	Was soll das heißen, Klaus? Herr Müller ist nicht verrückt.
Klaus:	Es ist verrückt, ein Geschäft wie unser Reisebüro aufzugeben und . . . und . . .
Erika:	Und was?
Klaus:	. . . und einer Frau nachzulaufen.
Erika:	Es ist nie zu spät, etwas Neues anzufangen.
Klaus:	Was? Sie wissen schon alles und haben gesagt, es gibt nichts Neues!

---

besprechen (bespricht, besprochen)	to discuss
leicht	easy, easily
erklären (erklärt)	to explain
offen	open, frank
weiter|kommen	to get on (in one's profession)
verdienen (verdient)	to earn
schwierig	difficult
heiraten (geheiratet)	to marry, get married
interessieren (interessiert)	to interest
das Konzert (–e)	concert
organisieren (organisiert)	to organise
gratulieren (gratuliert) (+ dem)	to congratulate
übernehmen	to take over
(übernimmt, übernommen)	
die Firma (*pl.* Firmen)	firm
das Geschäft(–e)	business, shop
die Lust	inclination, desire
die Gelegenheit(–en)	opportunity
andere	other, different
die Dummheit(–en)	stupidity, silly action
das Gehalt(–er)	salary
die Ursache(–n)	cause
auf|geben	to give up
(gibt auf, aufgegeben)	
nach|laufen (läuft nach) (+ dem)	to run after

wie geht's?	how are things?
was gibt's Neues?	what's the news?
was macht . . .?	how is . . .?
herein!	come in
es (das) freut mich	I'm pleased
kurz und gut	in a word
das Reisebüro geht gut	the travel agency is doing all right
wissen Sie . . .	you see . . .
das kommt nicht in Frage	that's out of the question
er versteht etwas von . . .	he knows something about . . .
ich habe (keine) Lust (+ zu)	I (don't) feel like . . .
ein Geschäft aufmachen	to start a business
machen Sie keine Dummheiten!	don't do anything silly
machen Sie Urlaub!	take some leave
so lange	until then
keine Ursache!	don't mention it
viel Glück!	good luck!

vor der Zentralstelle für Arbeitsvermittlung in Frankfurt

Wie man eine Stelle findet

Every town has an employment office (*Arbeitsamt*) which is an official body similar to a labour exchange. There is usually a careers' adviser (*Berufsberater*) who helps applicants to find suitable employment. The central employment office (*Zentralstelle für Arbeitsvermittlung*) in Frankfurt gives help and advice to applicants from all parts of the country and from abroad. It also provides information about the general labour situation.

The daily papers, especially the weekend editions, carry several columns of adverts for jobs of all types under the heading *Stellenangebote* (situations vacant) and *Stellengesuche* (situations wanted).

Much importance is attached to academic and professional diplomas (*Diplome*), testimonials (*Zeugnisse*) from previous employers, and a detailed curriculum vitae (*Lebenslauf*), which as a rule must be handwritten. Personal references are seldom required.

dürfen . . . müssen . . . sollen

dürfen means 'to be allowed to'. It is often used in the sense of 'may' when requesting or granting permission:

Darf ich Sie etwas fragen?	May I ask you something?
Er darf wieder rauchen.	He is allowed to smoke again.
Sie dürfen das Fenster aufmachen.	You may open the window.

dürfen + *nicht* or *kein* often has the meaning of 'mustn't':

Das dürfen Sie nicht tun.	You mustn't do that.
Ich darf nicht so viel rauchen.	I mustn't smoke so much.
Sie dürfen keinen Wein trinken.	You mustn't drink any wine.

müssen means 'to have to, must':

Das müssen Sie tun.	You must do that.
Ich muß eine Zigarette rauchen.	I have to smoke a cigarette.

müssen + *nicht* or *kein* usually corresponds to 'needn't':

Sie müssen nicht schreiben.	You needn't write.
Es muß kein Wein sein.	It needn't be wine.

Note: *gehen* and *fahren* are often omitted after *müssen*:

Ich muß nach Hause.	I must go home.
Morgen müssen wir zurück.	We have to go back tomorrow.

sollen means 'to be supposed to', often in the sense of 'said to be':

Was soll das heißen?	What is that supposed to mean?
Seine Freundin soll sehr nett sein.	His girl friend is supposed to be very nice.
Er soll viel Geld haben.	He is said to have a lot of money.

The basic meaning of *sollen* is 'to be under an obligation', and it often has the force of a command:

Wir sollen ihn abholen.	We are to fetch him.
Ich soll um fünf Uhr kommen.	I'm to come at five o'clock.
Sie soll zuerst die Briefe schreiben.	She is to write the letters first.

soll ich?, *sollen wir?*, is usually the equivalent of 'shall I?, shall we?' (i.e. do you want me/us to . . . ?):

Was soll ich jetzt machen?	What shall I do now?
Sollen wir Sie abholen?	Shall we fetch you?

Note: the verb saying what you may, must, or are supposed to do always comes at the end of the sentence.

zu + **verb**

zu + verb usually comes at the end of a sentence:

Ich habe vergessen, Sie *zu fragen*.	I forgot to ask you.
Ich bin glücklich, wieder hier *zu sein*.	I am happy to be here again.
Es fängt an *zu regnen*.	It is starting to rain.
Es gibt hier viel *zu sehen*.	There is a lot to see here.

With verbs that separate, *zu* comes between the first and second part, and the whole form is written as one word:

Es freut mich, Sie *kennenzulernen*.	I am pleased to meet you.
Er hat keine Zeit, uns *abzuholen*.	He has no time to fetch us.

Note: *zu* is not used after *möchte(n)*, *wollen*, *können*, *dürfen*, *müssen*, *sollen*:

Möchten Sie meine Freunde *kennenlernen*?	Would you like to meet my friends?
Wir wollen ihn mit dem Auto *abholen*.	We want to fetch him by car.
Er muß seinen Chef *fragen*.	He has to ask his boss.
Es soll morgen *regnen*.	It is supposed to rain tomorrow.

etwas Wichtiges . . . nichts Neues

After *nichts, viel, wenig* and *etwas* (in the sense of 'something'), adjectives add *–es*. They are then spelt with a capital letter, except for *anderes*:

Er hat mir etwas *Wichtiges* erzählt.	He told me something important.
Es steht nichts *Neues* in der Zeitung.	There is nothing new in the paper.
Ich habe wenig *Interessantes* gehört.	I heard little of interest.
Es gibt noch viel *anderes* zu sehen.	There are a lot of other things to see.

when to use kein and nicht

kein/keine means 'not a, not any, no' and is generally followed by a noun:

Ich habe heute *keine* Zeit.	I have no time today.
Möchten Sie *keinen* Kaffee?	Wouldn't you like any coffee?
Heute abend ist *kein* Tanz.	There is no dancing this evening.
Ich rauche *keine* Zigaretten.	I don't smoke any cigarettes.

nicht means 'not', and its position varies:

at the end of a simple sentence, question, or command:

Er kommt heute *nicht*.	He is not coming today.
Ich möchte den Kaffee *nicht*.	I don't want the coffee.
Verstehen Sie die Frage *nicht*?	Don't you understand the question?
Bitte rauchen Sie *nicht*!	Please don't smoke.

before the word saying what you may, can, must, want, would like or are supposed to do:

Sie dürfen hier *nicht* rauchen.	You are not allowed to smoke here.
Ich kann seine Frage *nicht* verstehen.	I can't understand his question.
Er will das Auto *nicht* kaufen.	He doesn't want to buy the car.
Ich möchte den Kaffee *nicht* trinken.	I don't want to drink the coffee.
Sollen wir heute *nicht* kommen?	Don't you want us to come today?

before the word saying what you have done:

Haben Sie die Frage *nicht* verstanden?	Didn't you understand the question?
Warum hat er den Kaffee *nicht* getrunken?	Why didn't he drink the coffee?

before the first part of a verb that separates:

Er holt mich heute *nicht* ab.	He doesn't fetch me today.
Machen Sie das Fenster bitte *nicht* auf!	Please don't open the window.

But if there is a particular word that you want to negate, *nicht* comes immediately before it:

Er raucht *nicht im Büro*.	He doesn't smoke in the office.
Sie kann *nicht alles* machen.	She can't do everything.
Er hat den Kaffee *nicht gleich* getrunken.	He didn't drink the coffee straight away.

Übungen

a) Complete the sentences (e.g. *Regnet* es? – Nein, aber es fängt gleich an *zu regnen*.):

1. Holen Sie ihn ab? —— Nein, ich habe keine Zeit, ihn ....

2. Helfen Sie ihm doch. —— Ja, ich will versuchen, ihm ....

3. Machen Sie ein Geschäft auf! —— Ich habe keine Lust, ein Geschäft..........................

4. Hat sie Ihnen gratuliert? —— Nein, sie hat vergessen, mir ....

5. Gibt er die Firma auf? —— Ja, er ist sehr glücklich, die Firma...................................

6. Was kann man hier sehen? —— Hier gibt es sehr viel ....

b) Complete the sentences according to the words in brackets:

1. — wir Sie etwas fragen? (may) ....

2. Sagen Sie ihm, er — später kommen. (is to)...

3. Wer — denn die Firma übernehmen? (is supposed to) ....

4. Ich — meinen Chef fragen. (must) ....

5. Das — Sie nicht tun. (mustn't) ....

6. Zuerst — Sie ihm die Sache erklären. (must)..

7. Was — ich dann machen? (shall)..

8. Erzählen Sie ihm, warum Sie mehr Geld verdienen — . (must) ....

c) Answer these questions in full, beginning with *Nein* . . .

1. Haben Sie heute abend Zeit?..

2. Können Sie uns abholen? ....

3. Ist der Chef da?...

4. Verdient er viel Geld?..

5. Kennen Sie die Firma? ....

6. Trinken Sie Kaffee?...

7. Hat er eine Stelle gefunden? ....

8. Wissen Sie, wer die Sängerin ist? ....

d) Check the statements about the scene. Tick the ones that are right and correct the others with complete sentences:

1. Klaus möchte mehr Geld verdienen. ....

2. Er will für Frau Bender arbeiten...

3. Herr Müller ist heute morgen nicht sehr freundlich..

4. Herr Müller übernimmt die Firma Eckert. ....

5. Herr Müller und Klaus wollen etwas Neues anfangen. ....

6. Fräulein Koch findet Herrn Müller verrückt. ....

Rätsel

Complete these phrases. The first letters of the missing words reading downwards will tell you what Herr Müller's decision seems to be.

— — ist nie zu spät.

— — — hab' genug.

Komm — — — !

— — gibt nichts Neues.

— — — hat's eilig.

Keine — — — — — — !

— — — — gut!

— — — — — Sie Urlaub!

Schluß für — — — — — !

Wie geht — — Ihnen?

— — die Knie gehen!

Mein Fuß — — — weh.

4 Einladung nach Köln

invitation

im Reisebüro Atlas

Telefonist: Moll und Co. Guten Tag.

Erika: Guten Tag, kann ich bitte Fräulein Pfeiffer sprechen?

Telefonist: Wen bitte?

Erika: Fräulein Pfeiffer.

5 *Telefonist:* Wie buchstabieren Sie das? Mit einem F?

Erika: Nein. P–F–E–I–F–F–E–R.

Telefonist: Ach, Sie meinen Fräulein Traudi Pfeiffer. Einen Moment, ich verbinde.

Traudi: Ja, bitte.

Erika: Traudi? Hier ist Erika.

10 *Traudi:* Erika! Du bist's. Wie nett! Was gibt's Neues?

Erika: Ich werde vielleicht nach Köln fahren. Was sagst du dazu?

Traudi: Nach Köln! Wann denn?

Erika: In vierzehn Tagen. Ich bin zum Karneval eingeladen.

Traudi: Von wem?

15 *Erika:* Von Jürgen. Du weißt doch. Ich hab' dir von ihm erzählt. Er studiert Medizin in Köln. Ich habe ihn in Hamburg kennengelernt.

Traudi: Aha, alte Liebe rostet nicht.

Erika: Er hat mir geschrieben. Hast du einen Moment Zeit? Ich werde dir den Brief vorlesen. „Liebe Erika! Vor mir liegt Ihr Brief von gestern. Herzlichen Dank dafür.

20 Ich habe lange nichts von Ihnen gehört und habe schon geglaubt, Sie haben mich ganz vergessen. Heute will ich Ihnen einen Vorschlag machen. In ein paar Wochen ist Karneval. Sie wissen ja, in Köln ist immer sehr viel los."

Traudi: Das stimmt.

Erika: Hör weiter. „Wir werden ein Kostümfest in der Universität feiern. Es wird sicher

25 nett. Darf ich Sie dazu einladen? Sie können bei meiner Tante wohnen. Vielleicht bleiben Sie ein paar Tage. Ich möchte Ihnen gern Köln zeigen — unseren Dom und andere Sehenswürdigkeiten. Dann können Sie auch am Rosenmontag den Kölner Karnevalszug sehen. So etwas gibt's doch nur einmal. Bitte schreiben Sie mir bald. Es wird schön sein, Sie wiederzusehen. Mit vielen Grüßen, Ihr Jürgen

30 Hoffmann. P.S. Sie kommen doch sicher." Na, was meinst du dazu?

24

	Traudi:	Gute Idee. Du wirst doch fahren, oder?
	Erika:	Ich möchte schon, aber ich weiß nicht, was mein Chef dazu sagen wird.
	Traudi:	Mach ihm schöne Augen. Dann wird er gleich ja sagen.
	Erika:	Ich bin doch nicht Frau Bender.
5	Traudi:	Nein, aber seine Sekretärin! Als was willst du gehen?
	Erika:	Ja, das weiß ich noch nicht. Hast du vielleicht eine Idee?
	Traudi:	Im Moment nicht. Aber hör zu. Wir wollen nach der Arbeit ins Warenhaus Ranke gehen. Dort gibt's tolle Kostüme. Da werden wir sicher etwas Schönes für dich finden. Ich hol' dich vom Büro ab. Ja?
10	Erika:	Gut. Also bis gleich. Tschüs!
	Traudi:	Tschüs!

* * *

im Warenhaus Ranke

	Traudi:	Komm, Erika, wir haben nicht viel Zeit. Dort sind die Kostüme. Sieh mal, wie toll. Willst du nicht als Zigeunerin gehen?
	Erika:	Nein, als Zigeunerin gehe ich nicht.
15	Traudi:	Dann geh als Cowgirl!
	Erika:	Dazu habe ich keine Lust.
	Traudi:	Oder geh als Indianerin. Sieh doch dieses Kostüm hier.
	Erika:	Oh, das ist schön. Was kostet denn das? Ist es billig? Fünfundneunzig Mark achtzig. Das kommt nicht in Frage. Soviel Geld will ich nicht ausgeben. Aber ich
20		habe eine Idee. Ich habe zu Hause noch alte Vorhänge. Daraus kann ich das Kleid machen.
	Traudi:	Kleider machen Leute, und du machst es umgekehrt!

buchstabieren (buchstabiert)	to spell
meinen (gemeint)	to mean, think
dazu	to it
der Karneval	carnival
studieren (studiert)	to study
die Medizin	medicine
die Liebe	love
rosten	to rust
vor|lesen	to read (out)
(liest vor, vorgelesen)	
dafür	for it
das Kostümfest(−e)	fancy-dress ball
die Universität(−en)	university
feiern (gefeiert)	to celebrate, hold
die Tante(−n)	aunt
die Sehenswürdigkeit(−en)	sight, thing worth seeing
der Rosenmontag	Monday before Lent
der Karnevalszug(−̈e)	carnival procession
wieder|sehen	to see, meet again
(sieht wieder, wiedergesehen)	
die Idee(−n)	idea
als	as
das Kostüm(−e)	costume, fancy dress
die Indianerin(−nen)	Red Indian (girl)
der Vorhang(−̈e)	curtain
daraus	out of it, out of them
umgekehrt	the other way round, the reverse

ich verbinde	I'll put you through
du bist's	it's you
in vierzehn Tagen	in a fortnight's time
herzlichen Dank	many thanks
ein paar	a few
es ist viel los	there's a lot going on
das stimmt	that's right
mit vielen Grüßen, Ihr . . .	yours sincerely
oder?	surely?
ich möchte schon	I'd like to of course
mach ihm schöne Augen	make up to him
im Moment	at the moment
Tschüs!	bye-bye, cheerio

Sprichwörter

Alte Liebe rostet nicht.	True love never dies.
Kleider machen Leute.	'Clothes maketh man'.*

(*In German-speaking countries, considerable importance is attached to the way a person dresses. Smart clothes are regarded as a sign of wealth and influence. Casual dress is not always approved of.)

das Dionysos Mosaik   St. Pantaleon

Köln

It is fourth in size after Berlin, Hamburg and München, and dates back to Roman times. Nowadays it is an important commercial centre with excellent communications to all parts of the country. It is well-known as the home of Eau-de-Cologne. Although much of the city was destroyed during the last war, most of it has been rebuilt, and Köln has much to offer the visitor:

das Dionysos Mosaik	a beautiful, carefully restored Roman mosaic, once the dining-room floor of a Roman palace; next to the cathedral.
der Kölner Dom	one of the best known Gothic cathedrals, containing 14th century stained glass windows and the famous *Dreikönigs-schrein*, a shrine dedicated to the Magi; close to the Rhine.
St. Pantaleon	one of the many interesting Romanesque churches.
Wallraf-Richartz-Museum	fine collection of old Dutch, Flemish and German masters, as well as of modern paintings; near the cathedral.
der Rheinpark	pleasure gardens on the opposite bank; a way of reaching them is by cable car across the Rhine; the finest view of the town can be obtained from that side of the river.

billiger/billige/billiges → billige

Adjectives before nouns without *der/die/das* . . . *ein/eine*, etc. add the following endings:

das ist	*billiger* Wein . . .	*billige* Butter . . .	*billiges* Obst
ich möchte	*billigen* Wein . . .	*billige* Butter . . .	*billiges* Obst
mit	*billigem* Wein . . .	*billiger* Butter . . .	*billigem* Obst

plural:

das sind	*billige* Schuhe . . .	*billige* Taschen . . .	*billige* Kleider
ich möchte	*billige* Schuhe . . .	*billige* Taschen . . .	*billige* Kleider
mit	*billigen* Schuhen . . .	*billigen* Taschen . . .	*billigen* Kleidern

Note: adjectives after the noun do not change:

Der Wein ist *gut*.　　Die Butter ist *frisch*.　　Das Obst ist *schön*.　　Die Schuhe sind *billig*.

für ihn/für sie . . . dafür

für ihn, für sie, zu ihm, zu ihr, zu ihnen, etc. are used when referring to persons. But when referring to things, *dafür* (for it, for them), *dazu* (with it, with them), etc. are normally used:

Das ist *für meinen Mann* . . . *für ihn*.	That's for my husband . . . for him.
Das ist *für meine Frau* . . . *für sie*.	That's for my wife . . . for her.
Vielen Dank *für Ihren Brief* . . . *dafür*.	Many thanks for your letter . . . for it.
Vielen Dank *für die Pakete* . . . *dafür*.	Many thanks for the parcels . . . for them.
Er kommt *zu meinem Mann* . . . *zu ihm*.	He is coming to my husband . . . to him.
Wir gehen *zu seiner Frau* . . . *zu ihr*.	We're going to his wife . . . to her.
Gehen Sie *zu unseren Freunden* . . . *zu ihnen*.	Go to our friends . . . to them.
Was sagen Sie *zu dem Brief* . . . *dazu*?	What do you say to the letter . . . to it?
Tun Sie den Brief *zu den Paketen* . . . *dazu*.	Put the letter with the parcels . . . with them.

Similarly: *von, mit, nach, bei, neben, vor* + object → *davon, damit, danach, dabei, daneben, davor*. *in, an, auf, aus, über* + object → *darin, daran, darauf, daraus, darüber* (i.e. 'r' is inserted between the two parts.)

werden

werden + verb is used to express future action:

ich *werde* kommen	du *wirst* kommen	er, sie, es *wird* kommen	wir *werden* kommen
I shall come	you will come	he, she, it will come	we shall come

ihr *werdet* kommen	Sie *werden* kommen	sie *werden* kommen
you will come	you will come	they will come

Note: the verb saying what you are going to do always comes at the end of the sentence:

Meine Frau wird mir alles *erzählen*.	My wife will tell me everything.
Ich werde ihm *schreiben*.	I shall write to him.
Wir werden gerne *kommen*.	We shall be pleased to come.

In colloquial speech, these forms are often replaced by the present tense (e.g. *sie erzählt, ich schreibe, wir kommen*), especially when expressions of time are mentioned, such as *morgen, nächste Woche, heute abend, gleich, bald*, or when the action is a more immediate one:

Wir kommen morgen zu Ihnen.	We'll come to you tomorrow.
Sie schreibt nächste Woche.	She'll be writing next week.
Ich erzähle Ihnen alles.	I'll tell you everything (i.e. in a moment).

when to use werden *and* wollen

werden has various shades of meaning:

- When followed by a verb it is generally used to refer to the future, especially the more distant future. It often suggests resolution or reassurance:

Wir werden Sie abholen.	We'll fetch you (i.e. without fail).
Das werde ich nicht tun.	I shan't do that (i.e. no intention).
Sie werden mit dem Hotel zufrieden sein.	You will be satisfied with the hotel (i.e. no doubt).

•• It is also used when you are speculating about an event:

Was wird Ihr Chef sagen?	What is your boss going to (likely to) say?
Er wird es nicht wissen.	He (probably) won't know about it.

⁞ By itself it often has the sense of 'to become, get, going to be':

Der Tee wird kalt.	The tea is getting cold.
Es wird schönes Wetter.	It's going to be nice weather.
Das wird sicher sehr interessant.	That's surely going to be very interesting.

wollen expresses a desire or willingness to do something:

Wir wollen Sie abholen.	We'll fetch you (i.e. want to).
Das will ich nicht tun.	I don't want to do that (i.e. don't wish to).
Was will Ihr Chef wissen?	What does your boss want to know?
Er will nichts davon wissen.	He won't hear of it (i.e. doesn't want to).

Note: *gehen* and *fahren* are often omitted after *wollen* in the same way as after *müssen* and *möchte(n)*:

Wohin wollen Sie denn?	Where do you want to go to?
Ich will nach Hause.	I want to go home.

Übungen

a) You want to buy the following articles. Describe them according to the words in brackets:

1. Haben Sie — Wein? (gut) ....
2. Ich möchte — Schuhe kaufen. (billig) ....
3. Wo gibt es — Kostüme? (schön) ....
4. Ich brauche — Vorhänge. (neu) ....
5. Wo gibt es — Bier? (kalt) ....

b) Re-write this passage, using *werden*:

Ich hole Sie morgen um zwölf Uhr ab. Zuerst fahren wir in die Stadt, und dann essen wir etwas. Nach dem Essen zeige ich Ihnen den Dom. Meine Freundin kommt auch. Abends gehen wir zusammen ins Konzert. Sie haben doch hoffentlich Zeit.

....

....

....

....

c) *werden* or *wollen*? Complete the conversation by putting in the correct words:

A: Kommen Sie doch zum Kostümfest! Oder —— Sie nicht? Es —— sicher nett. Sie —— viele Leute kennenlernen.

B: Ich möchte schon, aber ich kann nicht.

A: Wie schade! Warum denn nicht?

B: Ich —— nicht ohne meinen Mann gehen. Das —— Sie doch verstehen.

A: Natürlich. Wann —— wir Sie dann sehen?

B: Vielleicht nächste Woche. Am Montag —— ich zu meiner Tante, aber am Dienstag —— ich wieder da sein.

A: Bis nächsten Dienstag dann. Es —→ schön sein, Sie zu sehen.

d) Re-write the sentences, replacing the words in italics with *dafür, dazu*, etc., or *für ihn, zu ihr*, etc. as appropriate (e.g. Vielen Dank *für Ihren Brief*. —→Vielen Dank *dafür*.):

1. Was sagen Sie *zu der Sache*? ....

2. Ich weiß nichts *von dem Brief*. ....

3. Der Brief ist nicht *für Ihren Chef*. ....

4. Er hat mir *für die Einladung* gedankt. ....

5. Ich habe vierzehn Tage *auf den Vorschlag* gewartet. ....

6. Sie fährt *mit ihrem Freund* nach Köln. ....

7. Sind Sie *mit der Arbeit* fertig? ....

8. Was ist *in den Paketen*? ....

Silbenrätsel

These syllables will help you form the missing words below. The first letters reading downwards will tell you what Jürgen sent to Erika.

an – ber – dan – de – dia – dig – ein – es – ge – ge – hens – in – kehrt – kei – ken – lie – mal – men – na – ne – neu – re – rin – se – stern – ten – um – wür

1. Ich war auch —— jung. ....

2. Sie will als —— gehen. ....

3. Was gibt's —— ? ....

4. —— Jürgen! ....

5. In Köln gibt es den Dom und —— ——. ....

6. Ich möchte Ihnen für Ihren Brief ——. ....

7. Er macht es so, aber sie macht es ——. ....

8. Bitte buchstabieren Sie Ihren —— ! ....

9. Heute ist Montag, —— war Sonntag. ....

5 Mißverständnis in Salzburg

im Restaurant

Herr Müller: Küß die Hand, gnädige Frau. *madame*

Frau Bender: Ach, schon ganz österreichisch! Entschuldigen Sie, ich komme etwas spät. Haben Sie schon lange auf mich gewartet?

Herr Müller: Auf schöne Frauen wartet man gern.

5 *Frau Bender:* Es ist herrlich hier oben. Man kann so schön die Stadt sehen. Wissen Sie, was es zu essen gibt? Haben Sie schon bestellt?

Herr Müller: Nein, noch nicht. Aber ich habe die Speisekarte schon studiert. Hoffentlich haben Sie großen Hunger. Die Küche hier soll besonders gut sein. Möchten Sie das Menü? — Grießnockerlsuppe, Gulasch mit Semmelknödeln und Palatschinken.

10 *Frau Bender:* Oh, das ist viel zu viel für mich. Ich möchte nur eine Kleinigkeit.

Herr Müller: Sie müssen gut essen, meine Liebe. Sie haben heute noch etwas Wichtiges vor. *dear* Heute abend ist doch Konzert.

Frau Bender: Das ist es ja. *That's why*

Herr Müller: Nervös? *what I'm like* *never*

15 *Frau Bender:* Aber nein. Sie kennen mich doch. Ich bin nie nervös vor einem Konzert. Nur darf ich nicht zuviel essen. Ach, ich weiß nicht, was ich nehmen soll.

Herr Müller: Darf ich Ihnen helfen, etwas auszusuchen? Vielleicht einen Kaiserschmarren? *to choose*

Frau Bender: Ah ja, gute Idee.

Herr Müller: Herr Ober, wir möchten bestellen.

20 *Ober:* Was wünschen Sie bitte? *sweet stewed fruit*

Herr Müller: Einen Kaiserschmarren mit süßem Kompott für die Dame.

Ober: Tut mir leid. Das gibt es heute nicht. Aber darf ich der Dame den Rat geben, eine Speckknödelsuppe zu nehmen? Sie ist besonders gut. *easy*

Frau Bender: Ich esse keine Speckknödel. Bringen Sie mir etwas Leichtes — eine Königinpastete.

25 *Ober:* Gern. Und was wünscht der Herr?

Herr Müller: Ich nehme das Menü, aber ohne die Palatschinken.

Ober: Wünschen Sie etwas anderes als Nachspeise? *as*

Herr Müller: Das werden wir nach dem Essen sehen.

Ober: Was möchten Sie dazu trinken? Guten Wachauer Wein?

30 *Herr Müller:* Nein, bringen Sie uns bitte eine Flasche Gumpoldskirchner.

Ober: Gern . . .

Herr Müller: Ich bin so glücklich, mit Ihnen in Salzburg zu sein.

Frau Bender: Mein neuer Agent!

Herr Müller: Hoffentlich werden Sie mit mir zufrieden sein. *satisfied*

35 *Frau Bender:* Sie werden es schon gut machen . . . Sehen Sie, da kommt unser Essen.

Ober: Bitte schön, eine Königinpastete für die Dame, ein Menü für den Herrn. Guten Appetit!

Herr Müller: Danke. Das sieht ja köstlich aus.

Herr Müller: Als Nachspeise habe ich für uns etwas sehr Gutes ausgesucht — Salzburger Nockerln. Ganz leicht. Das müssen Sie essen.

Frau Bender: Nein, danke, lieber nicht.

Herr Müller: Aber einen Kaffee nehmen Sie doch, oder nicht? Mit Schlag, wie die Österreicher
5 sagen?

Frau Bender: Lieber nur schwarzen Kaffee. Dann gehe ich ins Hotel. Vor dem Konzert will ich noch etwas ruhen. Ich wohne im Hotel Mozart, nicht wahr?

Herr Müller: Ja, es ist alles bestellt. Das Gepäck ist schon dort. Sie brauchen nur nach dem Zimmerschlüssel zu fragen.

＊　　　　　　　＊　　　　　　　＊

im Hotel Mozart

10 *Portier:* Grüß Gott!

Frau Bender: Mein Name ist Bender. Ich möchte meinen Zimmerschlüssel.

Portier: Haben Sie ein Zimmer bestellt?

Frau Bender: Natürlich.

Portier: Einen Moment, gnädige Frau. Bender, Bender . . . Es tut mir leid. Da ist nichts
15 reserviert.

Frau Bender: Das kann nicht stimmen. Meine Koffer sind schon hier.

Portier: Tut mir leid, gnädige Frau. Ich habe sie nicht gesehen.

Frau Bender: Das muß ein Irrtum sein. Geben Sie mir ein Zimmer mit Bad.

Portier: Leider haben wir nichts frei. Das Hotel ist voll belegt. Die Festspiele haben
20 gestern angefangen.

Frau Bender: Das weiß ich. Kann ich den Direktor sprechen?

Portier: Selbstverständlich, gnädige Frau. Darf ich Sie bitten, in der Halle zu warten.

Dame: Herr Portier, haben Sie noch Karten für das Konzert mit Elisabeth Gerber?

Portier: Leider nein, gnädige Frau. Es ist alles ausverkauft.

25 *Dame:* Wie schade! Sie singt herrlich.

Portier: Ich hab' sie schon oft im Radio gehört.

Dame: Aber dort sitzt sie ja!

Portier: Wer?

Dame: Elisabeth Gerber.

30 *Portier:* Wo?

Dame: Dort neben dem Fenster.

Portier: Oh je, das ist die Gerber!

Dame: Wohnt sie hier im Hotel? Wie interessant!

Portier: Entschuldigen Sie einen Moment . . . Gnädige Frau, ich bitte tausendmal um
35 Verzeihung. Sie sind Frau Gerber, nicht wahr? Selbstverständlich ist Ihr Zimmer reserviert, gnädige Frau. Es war ein Mißverständnis. Ihr Gepäck ist schon oben. Der Liftboy wird Sie gleich auf Ihr Zimmer bringen.

Frau Bender: Schon gut.

Portier: Bitte entschuldigen Sie den Irrtum . . .

40 *Frau Bender:* Gott sei Dank! Ich habe schon geglaubt, Manfred hat einen Fehler gemacht.

das Mißverständnis (—se)	misunderstanding
österreichisch	Austrian
das Menü (—s)	set meal
die Kleinigkeit (—en)	small thing
vor|haben (vorgehabt)	to plan, intend
süß	sweet
das Kompott	stewed fruit
die Königinpastete (—n)	chicken vol-au-vent
die Nachspeise (—n)	dessert

der Agent(–en) (den/dem Agenten)	agent
köstlich	delicious
der Österreicher(–)	Austrian
schwarz (ä)	black
ruhen (geruht)	to rest
der Irrtum(–er)	error, mistake
leider	unfortunately
belegt	booked, occupied
die Festspiele (pl.)	festival
selbstverständlich	of course, certainly
der Portier(–s) (pronounced 'Portje')	head porter (in hotel)
die Halle(–n)	lounge, hall
tausendmal	a thousand times

küß die Hand	Austrian greeting (literally: 'I kiss your hand')
gnädige Frau	madam (used more in Austria than Germany)
haben Sie großen Hunger?	are you very hungry?
meine Liebe	my dear (lady)
das ist es ja	that's why
Sie kennen mich doch	you know what I'm like
Sie werden es schon gut machen	you'll manage all right
bitte schön	please, here you are
guten Appetit!	(said to wish someone an enjoyable meal)
mit Schlag	with whipped cream (Austrian for mit Sahne)
wie schade!	what a pity
oh je!	oh heavens!
ich bitte um Verzeihung	I beg your pardon, so sorry
auf Ihr Zimmer	(up) to your room
schon gut	all right
Gott sei Dank!	thank heavens

Österreichische Spezialitäten

Austrian cooking is excellent, and you get a good meal in the most modest places. Dishes are tasty and owe much to the influence of Hungarian cooking. Meat and vegetables are served with delicious sauces. Red pepper, nutmeg and other spices are frequently but discreetly used. A famous Austrian meat dish is *Wiener Schnitzel*, escalope of veal fried in breadcrumbs. *Knödel* (dumplings), an Austrian as well as Bavarian speciality, or *Nockerln*, a smaller, fluffier variety of *Knödel*, are often eaten in preference to *Kartoffeln*. They are also added to soups.

Grießnockerln	small dumplings made of semolina
Semmelknödel	dumplings made of white bread, milk, eggs
Speckknödel	dumplings made with finely cut bacon

There is a great variety of sweets and cakes. The most famous are the *Strudel*, made of layers of wafer-thin pastry filled with apple, cheese or poppy seeds, etc., and *Sachertorte*, a chocolate gateau made with grated almonds, filled with apricot jam and covered with chocolate. Other specialities:

Palatschinken	pancake filled with apricot jam or other sweet filling
Kaiserschmarren	like *Palatschinken*, but cut into pieces and served with stewed fruit
Salzburger Nockerln	omelette soufflé, made with butter, eggs, sugar and flour

Austrian wines are very good. They are mostly grown in the Danube region (e.g. *Wachau, Nußberg*) and the *Burgenland* (e.g. *Rust*). If you are very thirsty, a refreshing drink is *ein Gespritzter*, a glass of wine with soda water.

Salzburg

Salzburg is beautifully situated among hills on the river Salzach. The old part of the town is rich in palaces and churches built in a gay, Italianate style. Interesting buildings are:

der Salzburger Dom
    a fine baroque cathedral
die Residenz
    a beautiful Renaissance palace
die Festung Hohensalzburg
    a mediaeval fortress on a steep
    hill overlooking the town
Schloß Mirabell
    a magnificent baroque palace with
    beautiful formal gardens and
    fountains
das Mozart-Museum
    the house where Mozart lived,
    now a museum

die Getreidegasse, wo das Mozart-Museum ist.

In modern times, Salzburg has become famous for its international summer festival (*die Festspiele*), devoted mainly to performances of operas and other works by Mozart. But the open-air performances of 'Everyman' (*„Jedermann"*) in the cathedral square (*Domplatz*) are perhaps the best-known artistic event of the season.

Guten Tag! . . .Grüß Gott!

Guten Tag!	'hello', greeting used almost any time of the day
Grüß Gott!	equivalent greeting, used in Swabia, Bavaria and Austria
Küß die Hand!	mostly Austrian greeting: it is customary for an older man to kiss, or pretend to kiss, a woman's hand, both on meeting and leaving
Guten Morgen!	good morning
Guten Abend!	good evening
Gute Nacht!	said when you want to wish someone a good night's rest
Auf Wiedersehen!	goodbye
Auf Wiederhören!	goodbye (on telephone and radio)
Tschüs!	colloquial equivalent for 'goodbye', mostly used in northern Germany

When you meet or say goodbye to someone, it is the custom to shake hands. A man always greets a woman first.

Wiederholungsübungen

a) Complete the sentences by putting in *er, sie, es, ihn* as appropriate:

1. Hier ist die Speisekarte. Möchten Sie — ?

2. Die Dame ist noch nicht da. Er wartet auf — .

3. Dort ist der Ober. Fragen Sie — doch!

4. Wo ist mein Gepäck? — ist oben in Ihrem Zimmer.

5. Hier ist sein Brief. Soll ich — vorlesen?

6. Möchten Sie dieses Köstum? Ich finde — sehr schön.

7. Haben Sie meinen Koffer? Ja, da steht — .

8. Die Schuhe sind billig. Ich kaufe — .

(Haben Sie einen Fehler gemacht? Dann sehen Sie bitte auf Seite 134 nach.)

c

b) Re-write this passage so that it refers to the past:

Er wartet lange im Restaurant auf sie. Zuerst studieren sie die Speisekarte. Sie will nur eine Kleinigkeit nehmen, aber sie weiß nicht, was. Er hilft ihr, etwas auszusuchen. Dann bestellen sie das Menü. Der Ober bringt das Essen. Es sieht köstlich aus. Dann macht er die Flasche Wein auf und wünscht ihnen guten Appetit.

....

....

....

....

....

(Haben Sie einen Fehler gemacht? Dann sehen Sie bitte auf Seite 138 nach.)

c) Complete the sentences with the correct form of *der, die, das*:

1. Wohin soll ich den Koffer stellen ? Neben — Tür...

2. Wo steht ihr Auto? Vor — Haus. ....

3. Wohin fahren Sie jetzt? In — Stadt. ....

4. Wo ist Ihr Mann? In — Büro. ....

5. Wo liegen die Zimmerschlüssel? Auf — Tisch. ....

6. Wo warten Sie auf mich? In — Halle. ....

7. Wohin wollen wir gehen? In — Restaurant. ....

8. Wo möchten Sie sitzen? An — Fenster. ....

(Haben Sie einen Fehler gemacht? Dann sehen Sie bitte auf Seite 15 nach.)

d) Re-write the sentences replacing the words in italics with *ihm, ihn, ihr, ihnen, sie,* as appropriate:

1. Ich habe *den Portier* gefragt. ....

2. Zeigen Sie *der Dame* die Speisekarte...

3. Wie geht es *Ihren Freunden*?...

4. Sie können bei *meiner Tante* wohnen. ....

5. Besprechen Sie die Sache mit *dem Agenten*..

6. Kann ich *den Direktor* sprechen?..

7. Bitte schreiben Sie an *die Dame*. ....

8. Erklären Sie *den Leuten*, warum wir keine Zeit haben. ....

9. Er wartet auf *seinen Chef*. ....

10. Hier ist ein Brief von *Herrn Eckert*..

(Haben Sie einen Fehler gemacht? Dann sehen Sie bitte auf Seite 9, 14, und 15 nach.)

e) Answer these questions about the text:

1. Was bestellt Herr Müller? ....

2. Was bestellt Frau Bender?...

3. Was hat Herr Müller als Nachspeise ausgesucht? ....

4. Trinkt Frau Bender Kaffee mit Schlag? ....

5. Ist sie nervös vor einem Konzert? ....

6. Gibt es noch Karten für das Konzert?..

Kreuzworträtsel

ß is written *ss*

waagerecht

1. Sie hat genug von seiner ——.
4. mit 22 senkrecht: —— ——? Was haben Sie gesagt?
8. Das Wetter ist heute sehr ——.
9. Der Herr kommt aus London. Er ist ——.
11. Essen Sie lieber Speckknödel oder ——?
13. Wir haben schönes ——: Äpfel, Bananen, Kirschen, usw.
14. Oh ——, das ist sie!
15. Das Auto steht auf der ——.
18. Sehr —— Frau Bender!
20. Der Wachauer —— —— sehr gut.
21. Die Taxis stehen —— dem Ausgang.
23. Zum Parkplatz ist es ein ——.
25. Ich gebe Ihnen den ——, mit dem Zug zu fahren.
26. Herr Müller —— das Menü.
27. *(see 3 down)*
29. Bitte, —— ist Ihr Zimmerschlüssel.
30. Wir haben lange gewartet. Eine ——.
31. Sie wollte —— Kostüm kaufen.

senkrecht

1. Die Küche hier ist —— österreichisch.
2. Was ist los mit ihr? Ist sie müde oder —— ——?
3. mit 27 waagerecht: Alte Liebe —— ——.
5. Die Dame sitzt —— —— Halle.
6. In der —— kauft man Brot, Brötchen und Kuchen.
7. Weiß es Ihr Chef noch? —— —— sich?
9. Ich habe es noch nie gemacht. Es ist das —— Mal.
10. Das Haus ist nicht klein. Es ist sehr ——.
12. Fahren Sie heute abend? Nein, —— ——.
16. Ein Skifahrer braucht Skier, ——, Skischuhe, usw.
17. Ist alles in ——?
19. Kommt Ihr Freund? Ja, —— ——.
20. Wir —— gestern ins Konzert gehen.
22. *(see 4 across)*
24. Hier ist Parkverbot. Hier darf —— nicht parken.
28. Das dürfen Sie nicht ——.

6 Erika beim Karneval

auf dem Kölner Bahnhof

    Jürgen: Erika, Erika, hier bin ich. Nein hier! Kennen Sie mich nicht mehr?

    Erika: Jürgen, wie sehen Sie denn aus? Ich habe Sie nicht erkannt.

    Jürgen: Sehe ich nicht wie ein richtiger Gangster aus?

    Erika: Doch, sehr echt. Wie geht's?

5   *Jürgen:* Danke. Ich freue mich sehr, Sie zu sehen.

    Erika: Was ist denn das? Hier haben sich ja alle Leute verkleidet.

    Jürgen: Aber Erika, es ist Karneval. Die letzten drei Karnevalstage geht man in Köln
             verkleidet auf die Straße. Hier habe ich einen alten Hut mit Federn und einen
             langen Rock für Sie. Die Sachen gehören meiner Tante. Sie wird sich wundern,

10   ein fremdes Mädchen darin zu sehen. Ziehen Sie sich schnell an.

    Erika: Was? Hier auf dem Bahnhof?

    Jürgen: Natürlich. Ziehen Sie den Rock über Ihr Kleid und setzen Sie den Hut auf. Ja . . .
             so. Oh, Sie sehen wunderbar damit aus.

                    *   *   *

auf der Straße

    Jürgen: Kommen Sie, wir wollen zu Fuß zu meiner Tante gehen. Dann sehen Sie gleich

15   mal etwas von der Stadt. Sehen Sie, da tanzen die Leute auf der Straße.

    Erika: Oh, wer sind denn diese Frauen mit ihren roten Perücken?

    Jürgen: Das sind die Marktfrauen.

    Erika: Was? So lustige Marktfrauen habe ich noch nie gesehen. Oh, sehen Sie mal den
           Hund. Er hat ein richtiges Hütchen mit Federn auf dem Kopf. Na, so etwas!

20   *Jürgen:* Hier in Köln feiern alle . . .

    Erika: Jürgen, was kommt denn da?

    Jürgen: Das ist der Prinz Karneval mit der Prinzessin. Sie fahren mit der Kutsche zu einem
           Kostümfest ins Rathaus. Jetzt muß ich Ihnen noch etwas Interessantes zeigen –
           die Karnevalsboote auf dem Rhein. Sehen Sie, dort sind sie. Man kann sie mieten

25   und Feste darauf feiern.

    Erika: Keine schlechte Idee.

    Jürgen: So. Da sind wir schon bei meiner alten Tante. Sie wird Ihnen gefallen. Sie ist
           sehr komisch.

    Erika: Hoffentlich werde ich ihr auch gefallen, besonders in ihrem Rock.

                    *   *   *

bei Tante Anna

30 *Tante Anna:* Kinder, da seid ihr ja. Kommt herein!

    Erika: Hier sind ein paar Blumen für Sie.

    Tante Anna: Wie schön. Danke. Kommt, setzt euch. Ihr müßt eine Tasse Kaffee trinken. Er ist gleich

fertig. Aber da ist ja mein Rock! Und mein Hut! Jürgen! Ich habe die Sachen schon
überall gesucht. Mein schöner grüner Hut! Aber er steht deiner Freundin gar
nicht schlecht. Da hast du dir mal ein nettes Mädchen ausgesucht, Jürgen. Die
Letzte hat mir nicht besonders gefallen.

5   *Jürgen:*   Sch, Tante Anna!

  Tante Anna: Na, man darf doch sagen, was man denkt. So, Fräulein Koch, jetzt will ich Ihnen
              mal Ihr Zimmerchen zeigen. Ich hab' schon eine Wärmflasche ins Bett getan.

       Erika: Danke, das ist sehr lieb von Ihnen.

  Tante Anna: Da können Sie gleich ein bißchen ruhen.

10   *Jürgen:*   Ruhen? Jetzt? Das kommt nicht in Frage. Erika zieht sich jetzt um.

  Tante Anna: Warum denn? Was wollt ihr machen?

     Jürgen: Wir tanzen ein bißchen auf der Straße, und um acht gehen wir zum Kostümfest.
              Morgen früh werden wir in einem kleinen Café am Rheinhafen frühstücken. Dann
              gehen wir zum Rosenmontagszug. Das müssen Sie sehen, Erika! Da sind alle

15   Leute auf der Straße, und überall singt man und trinkt man und tanzt man.

  Tante Anna: Kinder! Ihr wollt die Nacht durch tanzen und am Tag gleich weitermachen?
              Heute blau und morgen blau!

     Jürgen: Natürlich, Tante Anna, es ist nur einmal im Jahr Karneval.

  Tante Anna: Da hast du eigentlich recht . . .

20   *Erika:*   So, da ist die Indianerin. Jürgen, wie gefalle ich Ihnen?

     Jürgen: Toll sehen Sie aus.

  Tante Anna: Vorsichtig, Fräulein Erika! Mein kleiner Jürgen verführt die Mädchen gern. Ist
              das Kleidchen nicht ein bißchen kurz?

     Jürgen: Aber nein, Tante Anna, davon verstehst du nichts.

25 *Tante Anna:*   Davon versteh' ich mehr, als du glaubst. Ich war auch einmal jung. Jürgen, bring
              mir meinen grünen Hut.

     Jürgen: Tante Anna, was willst du machen?

  Tante Anna: Geben Sie mir die Blumen, Fräulein Erika. Ich habe sie dort auf den Tisch gestellt.
              Die Blumen kommen auf den Hut und ich . . . ich komme mit euch. Es ist nur

30   einmal im Jahr Karneval. Stimmt's?

     Jürgen: Tante Anna, muß das sein?

---

erkennen (erkannt)	to recognise
sich verkleiden (verkleidet)	to disguise oneself
der Hut(⁻e)	hat
die Feder(–n)	feather
der Rock(⁻e)	skirt
gehören (gehört) (+ dem)	to belong to
sich wundern (gewundert)	to be surprised
sich an|ziehen (angezogen)	to get dressed
ziehen (gezogen)	to pull
auf|setzen (aufgesetzt)	to put on
die Perücke(–n)	wig
lustig	jolly, gay
der Hund(–e)	dog
der Prinz(–en) (den/dem Prinzen)	prince
die Prinzessin(–nen)	princess
die Kutsche(–n)	coach
das Karnevalsboot(–e)	carnival boat
komisch	funny, odd
überall	everywhere
denken (gedacht)	to think

die Wärmflasche(−n)	hot-water bottle
das Bett(−en)	bed
sich um|ziehen (umgezogen)	to change (clothes)
weiter|machen (weitergemacht)	to carry on, continue
blau	blue, drunk
verführen (verführt)	to seduce
wir gehen zu Fuß	we'll go on foot, walk
der Hut steht ihr	the hat suits her
morgen früh	tomorrow morning
die Nacht durch	the whole night through
am Tag	during the day
einmal im Jahr	once a year
du hast recht	you're right
stimmt's?	isn't that so?

Heute blau und morgen blau (popular song)

„Heute blau und morgen blau
und übermorgen wieder.
Ich bin dein, und du bist mein,*
und froh sind unsre Lieder.
Ich gebe heut' mächtig 'ne Welle an,**
weil ich das zu Haus' nicht so machen kann.
Heute blau und morgen blau
und übermorgen wieder,
und wenn wir dann mal nüchtern sind,
betrinken wir uns wieder."

* I am yours and you are mine

** I'm going to show off tremendously today

Karneval

Karneval (carnival), or *Fasching* as it is called in southern Germany, is widely celebrated during the weeks before Lent with fancy-dress balls. It culminates in the processions held on the last Monday before Lent (*Rosenmontag*). In many places, a carnival prince and princess are elected to reign over the town during carnival. They hold court, and award special carnival honours. Festivities go on night after night, and during the last few days people rarely go to bed. Celebrations stop abruptly at midnight on Shrove Tuesday (*Fastnacht*). The places most famous for their carnivals are Köln, Mainz and München. Köln and Mainz are known for their elaborate processions (*Karnevalszüge*) and large public meetings (*Karnevalssitzungen*) where witty and sarcastic speeches are made on political and local topics. München is the place for lavish balls and private parties, where amusing and original fancy-dress is worn.

ich/mich . . . du/dich . . . er/sich

mich = myself when used with *ich*; *dich* = yourself with *du*; *sich* = himself with *er*, etc.:

sich setzen	*ich* setze *mich*	*du* setzt *dich*	*er, sie, es* setzt *sich*	*man* setzt *sich*
to sit down (i.e.	I sit down	you sit down	he, she, it sits down	one sits down
seat oneself)	*wir* setzen *uns*	*ihr* setzt *euch*	*Sie* setzen *sich*	*sie* setzen *sich*
	we sit down	you sit down	you sit down	they sit down

Commands to persons you call *Sie:* setzen Sie *sich*!

du: setz *dich*!

ihr: setzt *euch*!

Note: *sich* is used with *er, sie, es, Sie* and *sie* (pl.), and also with *man*.

Verbs with *mich, dich, sich*, etc. usually describe an action that concerns the 'self' of the person:

sich an|ziehen	to get dressed (i.e. dress oneself)
sich um|ziehen	to change (i.e. one's clothes)
sich verkleiden	to disguise oneself

But there are other verbs which follow the same pattern, e.g.:

sich wundern	to be surprised
sich freuen	to be pleased
sich erinnern	to remember

(k)ein billiger/(k)eine billige/(k)ein billiges —→keine billige

Adjectives after *(k)ein/(k)eine*, etc. add the following endings (compare adjectives without *(k)ein*, page 27). Note that the plural ending is always *—en*:

das ist	ein *billiger* Hut . . .	eine *billige* Tasche . . .	ein *billiges* Kleid
ich möchte	einen *billigen* Hut . . .	eine *billige* Tasche . . .	ein *billiges* Kleid
mit	einem *billigen* Hut . . .	einer *billigen* Tasche . . .	einem *billigen* Kleid

plural:

das sind	keine *billigen* Hüte . . .	keine *billigen* Taschen . . .	keine *billigen* Kleider
ich möchte	keine *billigen* Hüte . . .	keine *billigen* Taschen . . .	keine *billigen* Kleider
mit	keinen *billigen* Hüten . . .	keinen *billigen* Taschen . . .	keinen *billigen* Kleidern

After *mein, dein, sein, ihr, unser, euer, Ihr*, adjectives follow the same pattern.

—chen

—chen is often added to nouns to indicate smallness or to express affection; *—e* or *—en* are dropped before this ending, and vowels sometimes take an umlaut. Nouns with *—chen* are always used with *das*, and do not change in the plural:

der Rock —→ das Röckchen	
Sie trägt ein kurzes Röckchen.	She is wearing a short little skirt.
der Moment —→ das Momentchen	
Warten Sie ein Momentchen.	Wait just a second.
die Straße —→ das Sträßchen	
Gehen Sie durch dieses Sträßchen.	Go through that small street.
das Kind —→ das Kindchen	
Komm, Kindchen!	Come, my dear.

Some nouns ending in *—chen* have a special meaning, e.g. *das Mädchen* (girl), *das Brötchen* (bread roll).

es gefällt mir . . . steht mir . . . gehört mir

gefallen 'to like, please', *stehen* in the sense of 'to suit' and *gehören* (to belong), are used with *mir/Ihnen*, etc., *dem/der . . . einem/einer*, etc. (see also page 14):

Wie gefällt *Ihnen* das Kleid?	How do you like the dress? (i.e. how does the dress please you?)
Es gefällt *mir* gut.	I like it very much. (i.e. it pleases me very much.)
Wie gefallen *Ihren Freunden* die Zimmer?	How do your friends like the rooms? (i.e. how do the rooms please them?)
Sie gefallen *ihnen* gut.	They like them very much. (i.e. they please them very much.)
Wie steht *Ihrer Frau* der Hut?	How does the hat suit your wife?
Er steht *ihr* sehr gut.	It suits her very well.
Wem gehört das Auto?	To whom does the car belong?
Es gehört *einer Firma*.	It belongs to a firm.

mal

In colloquial speech *mal* (short for *einmal* = once, for once, at one time) is often added to requests and brief statements, rather like 'just':

Sehen Sie mal!	Just look!
Ich will mich mal umziehen.	I'll (just) get changed.
Wir möchten mal wissen, was los ist.	We'd just like to know what's going on.

mal is added after numbers to say 'how many times' something happens:

einmal = once	hundertmal = a hundred times
zweimal = twice	tausendmal = a thousand times
dreimal = three times, etc.	x-mal = umpteen times

when to use Sie, du, ihr

Sie   polite form used to address adults you do not know intimately. (Singular and plural are the same). Normally people you call *Sie* are addressed by their surname, but the tendency to use Christian names with *Sie* is spreading, especially among younger people.

du   familiar form used with Christian name when talking to a close friend, relative, child, workmate – or animal. The transition from *Sie* to *du* is often slightly awkward as it implies a greater degree of familiarity than being on Christian name terms. Calling each other *du* (*sich duzen*) is often celebrated with a drink or a kiss.

ihr   familiar form used when talking to two or more people you call *du*. If among this group there is one person you call *Sie*, the *ihr*-form can still be used.

Übungen

a) Re-write the sentences and replace the words in italics with the words in brackets:

1. *Nehmen* Sie doch *Platz*! (sich setzen) ....

2. Ich *bin glücklich*, hier zu sein. (sich freuen) ....

3. Sie *geht* als Indianerin. (sich verkleiden) ....

4. Sagen Sie den Herren, sie sollen *Platz nehmen*. (sich setzen) ....

5. Ich komme morgen. *Sind* Sie *froh*? (sich freuen).....................................

b) Turn the two statements into one (e.g. Das ist *ein Bild.* Es ist *alt.* → Das ist ein *altes Bild.*):

1. Das ist eine Überraschung. Sie ist schön. ....

2. Vielen Dank für Ihren Brief. Er ist interessant. ....

3. Wir fahren mit unserem Auto. Es ist neu. ....

4. Sie hat ein Kostüm gekauft. Es ist toll. ....

5. Er hat eine Tante. Sie ist komisch. ....

6. Gefallen Ihnen meine Schuhe? Sie sind blau. ....

7. Wir wohnen in einem Hotel. Es ist nett. ....

8. Ich habe ein Zimmer reserviert. Es ist groß. ....

c) Re-write the sentences using first the *du*-, then the *ihr*-form:

1. Wohin wollen Sie denn? ....

2. Sie haben mich nicht erkannt. ....

3. Sie sehen gut aus. ....

4. Warum kommen Sie so spät? ....

5. Ziehen Sie sich jetzt um? ....

6. Sie werden sich wundern. ....

d) Put questions to fit the words in italics (e.g. Sie will ihr *das Zimmer* zeigen. → *Was* will sie ihr zeigen?):

1. .... *Mein roter Hut* steht ihr gut.

2. .... Die Leute tanzen *auf der Straße.*

3. .... Erika verkleidet sich *als Indianerin.*

4. .... Jürgen verführt *die Mädchen* gern.

5. .... Sie hat die Blumen *auf den Tisch* gestellt.

6. .... Das Auto gehört *meinem Freund.*

Rätsel

Complete these sentences about the scene. The first letters of the missing words reading downwards will tell you what's going on in Köln.

Tante Anna findet Erikas Kleid ein bißchen ——— . ...

Jürgen bringt Erika einen ——— Hut von seiner Tante. ....

Er hat ———. Es ist nur einmal im Jahr Karneval. ....

Tante Anna findet Erika sehr ———. ....

Jürgen holt seine Freundin vom Bahnhof ab, aber sie ——— ihn nicht. ....

Tante Anna sagt, er ——— die Mädchen gern. ....

Tante Anna setzt ihren alten Hut ———. ....

Die Kölner Marktfrauen sehen sehr ——— aus. ....

7 Klaus auf der Skihütte

auf dem Berg

Georg: So, jetzt sind wir oben. Und hier ist die Skihütte.

Barbara: Sind wir endlich angekommen? Gott sei Dank! Georg, das war kein Spaziergang
— das war eine Weltreise. Wir sind drei Stunden gelaufen. Ich bin noch nie so
müde gewesen. Der Rucksack ist so schwer.

5 Klaus: Hier können Sie sich gut erholen, Barbara.

Barbara: Wollen wir uns mal die Hütte ansehen? . . . Oh, das soll eine große Skihütte sein!
So habe ich mir das nicht vorgestellt. Sie hat ja nur ein richtiges Zimmer.

Georg: Ja, einen Wohnraum und dann noch zwei Schlafkammern. Wasser gibt es draußen!
Dort ist der Brunnen.

10 Barbara: Was? Ich soll mich draußen waschen? Und wo gibt es einen Spiegel? Ich muß
mich doch kämmen und so weiter. Und ihr müßt euch rasieren, oder?

Georg: Wir Männer können uns ohne Spiegel rasieren. Und du brauchst dich hier oben
nicht zu schminken. Ich bin dein Bruder, und du weißt, Klaus ist so gut wie
verlobt.

15 Barbara: Das kann ja nett werden!

Georg: Nimm dich zusammen, Barbara.

Klaus: Wir sind alle ein bißchen nervös und müssen uns erholen. Deshalb sind wir ja
in die Berge gefahren.

Barbara: Vielleicht haben Sie recht, Klaus.

20 Klaus: Wir essen jetzt etwas. Dann wird die Stimmung gleich besser.

Barbara: Gut. Ihr zieht euch um, und ich mache eine Kartoffelsuppe mit Würstchen. Ach,
schrecklich, da muß ich zuerst draußen Wasser holen.

Georg: Komm, Klaus. Ich zeige dir jetzt unsere Schlafkammer und dein Bett.

Klaus: Nein, später. Barbara ist im Moment nicht da. Ich möchte dir schnell einen Brief
25 vorlesen.

Georg: Was denn? Einen Liebesbrief?

Klaus: Ach, nein. Es hat nichts mit Liebe zu tun. Es ist etwas Geschäftliches. Du weißt
doch, ich kann keine richtige Arbeit finden. Da habe ich an einen Taxiunternehmer
geschrieben. Hör zu: „Lieber Herr Taler! Ich habe mir Ihr Angebot noch einmal
30 überlegt. Ich will gern für Sie arbeiten und Ihnen bis auf weiteres aushelfen. Sie
wissen, ich kenne die Stadt gut und bin ein zuverlässiger Fahrer. Ich werde gern
nach meinem Urlaub zu Ihnen kommen. Wir können dann alles besprechen. Mit
herzlichen Grüßen, Ihr . . ."

Georg: Aber Klaus, soll das ein Geschäftsbrief sein? Herr Taler ist doch nicht dein Freund!

Da kannst du nicht „lieber Herr Taler" schreiben. „Sehr geehrter Herr Taler", so mußt du anfangen. Und am Schluß kommt „mit vorzüglicher Hochachtung".

Klaus: Ich weiß. Aber hör zu. Ich kenne den Mann gut. Er hat doch immer mit dem Reisebüro Atlas gearbeitet.

5 *Georg:* Na, schön. Aber ich finde, es ist eine verrückte Idee.

Klaus: Was?

Georg: Du als Taxifahrer!

Klaus: Was soll ich denn machen? Ich brauch' Geld. Sch. Sag Barbara nichts davon . . .

Barbara: Die Suppe ist fertig, meine Herren, aber etwas Schreckliches ist passiert. Wir
10 haben die Würstchen vergessen. *hot plate*

Klaus: Das macht nichts. So ein heißer Teller Suppe tut gut.

Georg: Aber nach *after* dem Essen wollen wir Ski fahren.

Barbara: Und dann gehen wir ins Berghotel und bestellen uns einen großen Schnaps.

im Berghotel *think*

Klaus: Ich glaube, ich fange an, mich zu erholen. Sie sehen auch schon besser aus,
15 Barbara.

Barbara: Ja? Finden Sie? . . . Georg. Ich habe mich heute morgen schlecht benommen, *behaved*
nicht wahr? Es tut mir leid. Ich bin so müde gewesen.

Georg: Ich weiß, du hast es nicht so gemeint.

Barbara: Du kennst mich doch.

20 *Georg:* Schon gut, Schwesterchen. Schluß damit! Jetzt wollen wir uns mal überlegen,
was wir heute abend machen.

Klaus: Wir gehen zurück zur Skihütte.

Barbara: . . . und Klaus, Sie spielen *play* etwas auf der Gitarre. Ja?

Klaus: Gut. Aber dann müssen Sie auch singen, Barbara.

25 *Barbara:* Oh nein! Das kann ich nicht.

Georg: Doch, Schwesterchen. Komm, Barbara. Jetzt tanzen wir einen Ländler. Wollen
wir's versuchen? *try*

Barbara: Das kann ich doch nicht mit meinen schweren Skischuhen.

Georg: Doch. Hier tanzen alle mit Skischuhen. Komm, los! Gib mir die Hand! *difficult* . . .

30 *Klaus:* Und ich habe immer geglaubt, nur Ursula ist so ein schwieriges Mädchen.

---

die Skihütte(–n)	ski hut
schwer	heavy
der Wohnraum(–̈e)	living area, living room
die Schlafkammer(–n)	small bedroom
der Brunnen(–)	well, fountain
sich waschen (wäscht, gewaschen)	to wash (oneself)
der Spiegel(–)	mirror
sich kämmen (gekämmt)	to comb (one's hair)
sich schminken (geschminkt)	to put on make-up
sich rasieren (rasiert)	to shave (oneself)
der Bruder (–̈)	brother
verlobt	engaged to be married
sich zusammen|nehmen (nimmt zusammen, zusammengenommen)	to pull oneself together
deshalb	that is why, therefore
der Liebesbrief(–e)	love letter
der Taxiunternehmer(–)	taxi operator
das Angebot(–e)	offer

43

sich (etwas) überlegen (überlegt)	to think (something) over
aus|helfen (hilft aus, ausgeholfen) (+ dem)	to help out
zuverlässig	reliable
sich benehmen (benimmt, benommen)	to behave
die Schwester(–n)	sister
spielen (gespielt)	to play
die Gitarre(–n)	guitar
der Ländler(–)	type of country dance

und so weiter (usw.)	and so on (etc.)
so . . . wie	as . . . as
das kann ja nett werden!	some fun that'll be
bis auf weiteres	for the time being
mit herzlichen Grüßen, Ihr . . .	yours sincerely
sehr geehrter	dear . . . (in formal letter)
mit vorzüglicher Hochachtung	yours faithfully
das macht nichts	that doesn't matter
es tut gut	it does you good
finden Sie?	do you think so?
Schluß damit!	that's enough

In der Skihütte

When you go skiing, you may prefer staying in a hotel on the mountain (*Berghotel*), or else in a hut (*Skihütte*) which is cheaper and less comfortable, but often more fun. *Eine Skihütte* only holds a few people and usually consists of a living-room (*Wohnraum*) and small bedrooms (*Schlafkammern*). Instead of beds, there are often strawsacks (*Strohsäcke*) or lilos (*Luftmatratzen*). Skiers bring their own food and drink in rucksacks (*Rucksäcke*). From May to September, when the cows graze on the mountain pastures, the ski huts are often used by the cowherds. The cable cars and ski lifts which are usually nearby are thus not only appreciated by the skiers, but also by the cowherds who use them for transporting milk to the valleys.

Sie wollen einen Brief schreiben

start with   *end with*

to people you don't know or hardly know:

Sehr geehrte Herren (to a hotel, firm or official body)
Sehr geehrter Herr (Doktor) Braun
Sehr geehrter Herr Direktor/Professor
Sehr geehrte Frau Braun
Sehr geehrtes Fräulein Braun

Hochachtungsvoll
Mit vorzüglicher Hochachtung
Mit den besten Empfehlungen
(+ Christian and surname)

to friends and acquaintances:

Lieber Herr Braun	Mit (den) besten Grüßen (fairly formal)
Liebe Frau Braun	Mit freundlichen Grüßen (fairly formal)
Liebes Fräulein Braun	Mit herzlichen Grüßen
	Herzliche Grüße
	Mit vielen Grüßen (informal)

Before your signature put *Ihr* if you are a man, *Ihre* if you are a woman.

to close friends and relatives:

Lieber Klaus (more intimate:	Mein lieber Klaus	Viele Grüße
Liebe Erika	Meine liebe Erika	Herzliche Grüße
Liebe Tante Anna	Meine liebe Tante Anna	Viele herzliche Grüße
Liebe Kinder	Meine lieben Kinder)	Herzlichst
		Sehr/Ganz herzlich (more intimate)
		Viele liebe Grüße (more intimate)

Before your signature, put *Dein* if you are a man, *Deine* if you are a woman, or *Euer/Eure* if you are writing to more than one person. Note that in letters *Dein, Du, Dich, Dir* and *Euer, Ihr, Euch* are spelt with a capital.

sein + *past form*

Some verbs combine the past form with *sein* instead of *haben*. These verbs usually express movement. Those which have occurred so far:

fahren ⟶ ist gefahren	laufen ⟶ ist gelaufen
gehen ⟶ ist gegangen	ein|laufen ⟶ ist eingelaufen
vorbei|gehen ⟶ ist vorbeigegangen	nach|laufen ⟶ ist nachgelaufen
kommen ⟶ ist gekommen	ein|steigen ⟶ ist eingestiegen
an|kommen ⟶ ist angekommen	zurück|treten ⟶ ist zurückgetreten
weiter|kommen ⟶ ist weitergekommen	

Some other verbs which follow the same pattern:

bleiben ⟶ ist geblieben	sein ⟶ ist gewesen
passieren ⟶ ist passiert	werden ⟶ ist geworden
rosten ⟶ ist gerostet	

As elsewhere, the past form comes at the end of the sentence:

Er *ist* nicht mit dem Auto *gefahren*.	He didn't go by car.
Sie *sind* zuerst ins Hotel *gegangen*.	They went to the hotel first.
Wir *sind* gestern *angekommen*.	We arrived yesterday.
Wo *bist* du so lange *gewesen*?	Where have you been for so long?
Ich *bin* heute zu Hause *geblieben*.	I stayed at home today.
Was *ist* denn *passiert*?	What has happened?

Note: *ich war, ich bin gewesen* can both mean 'I was' or 'I have been', and are virtually interchangeable in everyday speech. In written German the forms with *war/waren* are generally preferred:

Wo warst du so lange?	Where have you been for so long?
Wo bist du so lange gewesen?	
Ich war in der Stadt.	I was in town.
Ich bin in der Stadt gewesen.	

Verbs which combine the past form with *sein* are indicated in the word lists like this: *gehen (ist gegangen)*.

ich/mir . . . du/dir . . . er/sich

Verbs like *sich setzen, sich wundern, sich schminken* can stand on their own (see also page 39):

Wir wollen uns setzen.	We want to sit down.
Ich wundere mich nicht.	I'm not surprised.
Sie schminkt sich.	She is putting make-up on.

But there are many verbs which require something else to complete their meaning, e.g. *sich (etwas) kaufen, sich (etwas) vorstellen, sich (etwas) ansehen, sich (etwas) überlegen.* With these verbs *mich →mir, dich →dir.* Otherwise there is no change:

Ich kaufe *mir* eine Gitarre.	I'm buying myself a guitar.
Kannst du *dir* das vorstellen?	Can you imagine that?
Sehen Sie *sich* das Auto an.	Have a look at the car.
Wir überlegen *uns* die ganze Sache.	We're thinking the whole thing over.

Note the difference between:

Ich wasche *mich*.	I'm washing (myself).
Ich wasche *mir* die Hände.	I'm washing my hands.
Ich wasche das Kleid.	I'm washing the dress.

when to use kennen and wissen

kennen means 'to know' in the sense of 'to be acquainted with'. It is used when referring to a person you know or something which you recognise and can identify:

Kennen Sie diese Leute?	Do you know these people?
Ich kenne die Stadt gut.	I know the town well.
Wir kennen das Lied nicht.	We don't know the song.

wissen refers to a fact of which you are aware, and implies 'knowing about something':

Ich weiß, Sie haben keine Zeit.	I know you haven't any time.
Er weiß nicht, wann sie kommen.	He doesn't know when they are coming.
Woher wissen Sie das?	How do you know that?

Übungen

a) Re-write the passage so that it refers to the past:

Wir sind in den Bergen und erholen uns sehr gut. Wir fahren viel Ski. Wir bleiben drei Tage länger. Das Wetter ist herrlich. Sie haben ganz recht. Die Skihütte ist sehr gemütlich. Abends gehen wir ins Berghotel, hören Musik und trinken einen Schnaps.

....

....

....

....

b) Complete the sentences with *mich, mir, dich, dir, sich*, etc. as appropriate:

1. Ich habe — noch nicht gekämmt und geschminkt. ....

2. Er steht am Spiegel und rasiert —. ....

3. Sie ist im Bad und wäscht —. ....

4. Ich kann — die Skihütte nicht vorstellen. ....

5. Willst du — das Zimmer ansehen? ....

6. Wir möchten —— ein Haus kaufen. ....

7. Ich freue —— , ins Konzert zu gehen. ....

8. Ihr müßt —— gleich umziehen. ....

9. Kinder, wascht —— zuerst die Hände. ....

10. Komm, setz —— an unseren Tisch. ....

c) Re-write the letter beginning with „*Sehr geehrtes Fräulein Koch*":

Liebe Erika,

Ich habe heute einen Brief von Deinem früheren Chef bekommen. Er hat mir viel Gutes von Dir erzählt und ist sehr interessiert, wie es Dir jetzt geht und wie es Dir bei der Firma Eckert gefällt. Du hast sicher recht gehabt, dort zu bleiben. Herr Müller sagt, Du kannst mir sicher helfen. Ich habe vor, im Sommer nach Wien zu fahren. Du kennst doch die Hotels und weißt besser als ich, wo man gut und billig wohnt. Also sei bitte so nett und reservier ein schönes Zimmer für mich.

                Viele Grüße
                Deine
                Marianne (Bachstein)

....

....

....

....

....

....

....

d) Answer these questions about the scene:

1. Wer ist der Bruder von Barbara? ....

2. Wer ist so gut wie verlobt? ....

3. Wie lange sind sie zur Skihütte gelaufen? ....

4. Wieviele Zimmer hat die Skihütte? ....

5. Wer hat sich schlecht benommen? ....

6. An wen schreibt Klaus einen Brief? ....

7. Als was will Klaus arbeiten? ....

Finden Sie den Fehler

Spot the mistake and re-write the sentence accordingly:

1. Die Skihütte ist sehr groß und hat nur zwei Schlafkammern. ....

2. Er sucht eine Stelle. Deshalb ist er zum Postamt gegangen. ....

3. Der Schnee ist herrlich. Da können wir nicht gut Ski fahren. ....

4. Georg ist die Schwester von Barbara. ....

5. Einen Liebesbrief fängt man mit „sehr geehrte . . ." an. ....

6. Meine Skischuhe sind so leicht. Ich kann nicht damit tanzen. ....

7. Nockerln sind eine Berliner Spezialität. ....

8. Das Mozart-Museum steht in Köln. ....

8 Klaus als Taxifahrer

PROGRAMME DEUTSCHER BÜHNEN

	Fr. 29. 11.	Sa. 30. 11.	So. 1. 12.	Mo. 2. 12.	Di. 3. 12.	Mi. 4. 12.	Do. 5. 12.
Hannover Opernhaus Tel. 16 61 / 33 26	19.30 Uhr Die Zauberflöte	20.00 Uhr Lohengrin	19.30 Uhr Don Juan	19.30 Uhr La Traviata	20.00 Uhr Ballettabend	19.30 Uhr Die Liebesprobe	19.30 Uhr Rigoletto
Ballhof Int. K. Ehrhardt Tel. 16 61 / 33 26	19 30: Der Kaufm. von Venedig	20.00 Uhr Eiche und Angora	20.00 Uhr Endspurt	20.00 Uhr Die Irre von Chaillot	19.30: Der Kaufm. von Venedig	20.00 Uhr Maria Magdalene	19.30 Uhr Leben des Galilei
Landesbühne Int. W. Heidrich Theater am Aegi Tel. 2 61 08/09	20.00 Uhr Besuch der alten Dame Clausthal	20.00 Uhr Besuch der alten Dame N.-Büddenst.	20.00 Uhr Besuch der alten Dame	20.00 Uhr Besuch der alten Dame Lebenstedt	20.00 Uhr Besuch der alten Dame Wunstorf	20.00 Uhr Besuch der alten Dame	20.00 Uhr Besuch der alten Dame Rinteln
Karlsruhe Großes Haus Tel.: 262 52	20.00 Uhr Katja Kabanova	20.00 Uhr Ein nettes Herr	20.00 Uhr Der Vogelhändler	20.00 Uhr Banditenstreiche	20.00 Uhr Don Pasquale	20.00 Uhr Faust	20.00 Uhr Rosenkavalier
Kassel Staatstheater Int. Dr. G. Skopnik Tel. 1 58 52	19.30 Uhr Der Wildschütz	19.30 Uhr Herr Puntilla und sein Knecht Matti	20.00 Uhr Eine Nacht in Venedig	20.00 Uhr Madame Butterfly	19.30 Uhr Othello	19.30 Uhr Carmen	20.00 Uhr Die Csardasfürstin
Kammerspiele Int. Dr. G. Skopnik Tel. 1 58 53	20.00 Uhr Die Hose	20.00 Uhr Die Hose	20.00 Uhr Namen darf ich tragen	20.00 Welchen Namen darf ich tragen	17.00 Uhr Frau Holle	20.00 Welchen Namen darf ich tragen	20.00 Uhr Die Hose
Kiel Stadttheater Tel. 4 21 00	20.00 Uhr Fiesko	20.00 Uhr Cosi fan tutte	19.30 Uhr Madame Butterfly	20.00 Uhr Cosi fan tutte	20.00 Uhr Ein Maskenball	20.00 Uhr Preußisches Märchen	20.00 Uhr Eine Nacht in Venedig
Schauspielhaus Tel. 4 75 30	20.00 Uhr Pamela	20.00 Uhr Dame Kobold	20.15 Uhr Von Mäusen und Menschen	20.00 Uhr Dame Kobold	20.00 Uhr Dame Kobold	20.00 Uhr Arialda	20.00 Uhr Dat Eckgrundstück
Köln Opernhaus Tel. 21 43 15	19.30 Uhr La Bohème	17.00 Uhr Götterdämmerung	18.00 Uhr Hänsel und Gretel	19.30 Uhr Rigoletto	19.30 Uhr Hänsel und Gretel	20: In seinem Garten liebt Don Perlimplin Belisa	19.30 Uhr Hänsel und Gretel
Schauspielhaus Tel. 21 25 16	19.30 Uhr Der Besuch der alten Dame	19.30 Uhr Ein Sommernachtstraum	19.30 Uhr Der Besuch der alten Dame	19.30 Uhr Der Besuch der alten Dame	19.30 Uhr Ein Sommernachtstraum	19.30 Uhr Der Frieden	19.30 Uhr Andorra
Mannheim Großes Haus Tel. 2 52 66	20.00 Uhr Der Bettelstudent	20.00 Uhr Fidelio	20.00 Uhr Othello	20.00 Uhr Don Carlos	20.00 Uhr Don Carlos	19.00 Uhr Ein Maskenball	20.00 Uhr Zar und Zimmermann
Kleines Haus Tel. 2 52 66	20.00 Uhr Der Hund des Generals	20.00 Uhr Die Alkestiade	20.00 Uhr Die Alkestiade	19.45 Uhr Zum Frühstück zwei Männer	19.45 Uhr Zum Frühstück zwei Männer	20.00 Uhr Der Teufel kam aus Dublin	20.00 Uhr Der Hund des Generals

auf der Straße

Herr Müller: Hallo Taxi, sind Sie frei?

Klaus: Ja, ich bin frei. Guten Tag, Herr Müller. Wohin darf ich Sie fahren?

Herr Müller: Klaus! Ich habe gar nicht gewußt, daß Sie einen neuen Beruf haben.

Klaus: Ich helfe nur Herrn Taler aus, weil ich im Moment Zeit habe.

5 *Herr Müller:* Na, so etwas. Sie arbeiten jetzt für den alten Taler! Aber so kommen Sie doch nicht weiter.

Klaus: Leider nein. Ich suche immer noch einen besseren Beruf.

Herr Müller: Verdienen Sie gut?

Klaus: Es geht. Ich verdiene natürlich mehr, wenn ich nachts fahre. Am Tag suche
10 ich dann Arbeit. Und wie geht es Ihnen jetzt? Was machen Ihre Pläne?

Herr Müller: Danke. Alles ist in schönster Ordnung. Und Sie? Sie wollten doch bald heiraten, wenn ich mich richtig erinnere.

Klaus: Na, das hat noch Zeit.

Herr Müller: Ich bin froh, daß ich Sie getroffen habe, Klaus.

15 *Klaus:* Warum denn?

Herr Müller: Weil Sie mir einen großen Gefallen tun können. Fahren Sie ins Stadttheater. Heute abend singt Frau Bender im „Vogelhändler". Gehen Sie gleich durch den Bühneneingang und geben Sie ihr diesen wichtigen Brief. Sie wartet sehr darauf.

20 *Klaus:* Mit Vergnügen.

Herr Müller: Sie wird sich wundern, wenn sie Sie sieht. Hier haben Sie fünf Mark für die Fahrt.

Klaus: Danke, Herr Müller. Auf Wiedersehen . . .

im Theater

Bühnenarbeiter: He, was wollen Sie denn hier?

25 *Klaus:* Ich suche Frau Gerber.

Bühnenarbeiter: Kommen Sie morgen. Wissen Sie denn nicht, daß Frau Gerber gleich ihren Auftritt hat? Sie wird wütend, wenn man sie stört.

Klaus: Sie wird noch wütender, wenn sie diesen wichtigen Brief nicht bekommt.

Bühnenarbeiter: Schicken Sie ihr doch den Brief mit der Post.

That's the last thing I'd do

Klaus:	Das ist ja das Letzte! Ich muß auf schnellstem Weg zu Frau Gerber, weil sie auf diesen Brief wartet.
Frau Bender:	Was ist denn hier los? Ein bißchen leiser, meine Herren. Das ist ein Theater und kein Zirkus.
5 *Bühnenarbeiter:*	Der junge Mann hier wollte Sie stören.
Frau Bender:	Ein junger Mann? Klaus, Sie sind's!
Klaus:	Frau Bender, ich habe einen Brief von Herrn Müller für Sie.
Frau Bender:	Vielen Dank. Aber Klaus, wie kommt es, daß Sie hier sind? Ich habe gehört, daß Sie nicht mehr bei Herrn Müller arbeiten.
10 *Klaus:*	Das stimmt. Ich fahre jetzt Taxi. Ich habe ihn zufällig getroffen.
Bühnenarbeiter:	Frau Gerber, Ihr Auftritt! Sie sollen sich fertigmachen.
Frau Bender:	Sie fahren Taxi? Klaus, ich weiß einen besseren Beruf für Sie. Da verdienen Sie mehr Geld und können gleich anfangen.
Klaus:	Wo denn?
15 *Bühnenarbeiter:*	Frau Gerber, Ihr Auftritt! Es ist höchste Zeit, daß Sie sich fertigmachen.
Frau Bender:	Ja, ich mache mich gleich fertig. Herr Falk, der neue Empfangschef vom Schloßhotel, sucht einen Assistenten. Sie haben Erfahrung mit Menschen, und Sie sind tüchtig, wenn Sie wollen – und auch ganz intelligent.
Klaus:	Frau Bender, das ist die schönste Überraschung. Kann ich Sie heute abend im
20	Taxi abholen?
Frau Bender:	Heute nicht, Klaus. Aber holen Sie mich morgen nach der Probe hier ab. Ich treffe Sie um sechs unten am Bühneneingang. Dann fahren wir zusammen zum Direktor.
Bühnenarbeiter:	Frau Gerber, Ihr Auftritt!
25 *Klaus:*	Vielen Dank, Frau Bender.
Frau Bender:	Auf Wiedersehen, Klaus, bis morgen . . .
Klaus:	Eine tolle Frau! Vielleicht hat mir der alte Schürzenjäger jetzt doch geholfen, eine Arbeit zu finden.

---

der Beruf(–e)	profession, occupation
weil	because
wenn	if, when, whenever
der Plan(–e)	plan
treffen (trifft, getroffen)	to meet
der Gefallen(–)	favour, kindness
das Stadttheater(–)	municipal theatre
der Bühneneingang(–e)	stage door
der Bühnenarbeiter(–)	stagehand
der Auftritt(–e)	entrance on stage, call
wütend	angry, furious
stören (gestört)	to disturb
leise	quiet(ly), soft(ly)
der Zirkus(–se)	circus
zufällig	by chance
sich fertig|machen (fertiggemacht)	to get ready
der Empfangschef(–s)	receptionist
der Assistent(–en) (den/dem Assistenten)	assistant
die Erfahrung(–en)	experience
der Mensch(–en) (den/dem Menschen)	human being; *pl.* people
tüchtig	capable, efficient
die Probe(–n)	rehearsal
der Schürzenjäger(–)	'wolf'

D

verdienen Sie gut?	do you make a lot?
es geht	not bad, so-so
in schönster Ordnung	fine
das hat noch Zeit	there's no hurry
mit der Post	by post
das ist ja das Letzte	that's the last thing I'd do
auf schnellstem Weg	as quickly as possible
wie kommt es, daß . . . ?	how is it that . . . ?
es ist höchste Zeit	it's high time

Arie aus der Operette „Der Vogelhändler''

*„Ich bin die Christel von der Post;
klein das Salär und schmal die Kost! . . .
Aber das macht nichts, wenn man noch jung ist,
wenn man nicht übel, wenn man im Schwung ist;
ohne zu klagen, kann man's ertragen,
wenn man dabei immer lustig und frei!
Bin die Christel von der Post!

Mein Amt ist herrlich, wenn auch gefährlich,
auf die Adresse kommt es an:
Ist's ein Galanter, ist's ein Charmanter,
wird es fatal oft dann und wann!
Statt Rezepisse gäb' er gern Küsse,
pfiffig jedoch benehm' ich mich da,
laß ihn vor allem Porto bezahlen,
sage dann lachend zu ihm: ja, ja,
einen Kuß, wenn ich muß! . . .

Nur nicht gleich, nicht auf der Stell',
denn bei der Post geht's nicht so schnell! . . .''

Eine Szene aus dem „Vogelhändler''
('The Birdseller' by the Viennese composer Karl Zeller, was first performed in 1891 and is still very popular today.)

*das Salär	pay
schmal die Kost	the fare is meagre
nicht übel	not bad
im Schwung	in form
klagen	to complain
ertragen	to bear, suffer
mein Amt	my job
gefährlich	dangerous
es kommt an auf . . .	it depends on, what matters is . . .
ein Galanter	a gentleman
ein Charmanter	a charmer
fatal	tricky
statt Rezepisse	instead of receipts (old fashioned)
er gäb' gern	he'd like to give
pfiffig	cunning
jedoch	however
vor allem	above all
das Porto	postage
lachend	laughingly
auf der Stell'	on the spot
es geht nicht so schnell	things don't happen that quickly

Das Theater

The larger cities have several theatres as well as an opera house. Most other towns have a *Stadt-theater*. Theatres, as a rule, have a permanent company which presents several plays, operas and operettas in repertory. The season generally runs from September to June. A successful production is sometimes carried over to the next season, but is rarely shown for more than two seasons running. The majority of theatres are subsidised by the local authorities, but derive the greater part of their income from subscription bookings (*Abonnements*), i. e. people book a seat for the whole season which entitles them to see every play in the repertory at a reduced price.

Word order of time and place

You say *when* something happens before stating *where* it happens:

	when	where	
Ich treffe Sie	um sieben	am Theater.	I'll meet you at the theatre at seven.
Wir fahren	morgen früh	nach Köln.	We're going to Cologne tomorrow morning.
Sie war	letzten Winter	in Österreich.	She was in Austria last winter.

daß, weil, wenn

After *daß* (that), *weil* (because), *wenn* (when, if) the verb form goes to the end of the sentence in the same way as it does in indirect questions introduced by *wo, wie, wann*, etc. (see page 16):

Sie glaubt, daß er morgen *kommt*.	She thinks that he is coming tomorrow.
Woher wissen Sie, daß er geheiratet *hat*?	How do you know that he has got married?
Er verreist nicht, weil er kein Geld *hat*.	He is not going away, because he has no money.
Wir gehen ins Hotel, weil wir essen *wollen*.	We're going to the hotel because we want to eat.
Sie ist nie da, wenn ich nach Hause *komme*.	She is never there when I come home.
Ich schreibe, wenn Sie mir Ihre Adresse *geben*.	I'll write, if you give me your address.

Verbs that separate remain joined after *daß, weil, wenn*, and in indirect questions:

Er hat gesagt, daß er uns *abholt*.	He said that he'd fetch us.
Grüßen Sie ihn, wenn Sie ihn *wiedersehen*.	Give him my regards when you see him.
Ich weiß nicht, wann der Zug *ankommt*.	I don't know when the train is arriving.

der billige/die billige/das billige ⟶ die billigen

Adjectives after *der/die/das*, etc. add the following endings (see also pages 27, 39). Note that the plural ending is always *–en*:

das ist	der *billige* Hut . . .	die *billige* Tasche . . .	das *billige* Kleid
ich möchte	den *billigen* Hut . . .	die *billige* Tasche . . .	das *billige* Kleid
mit	dem *billigen* Hut . . .	der *billigen* Tasche . . .	dem *billigen* Kleid
	plural:			
das sind	die *billigen* Hüte . . .	die *billigen* Taschen . . .	die *billigen* Kleider
ich möchte	die *billigen* Hüte . . .	die *billigen* Taschen . . .	die *billigen* Kleider
mit	den *billigen* Hüten . . .	den *billigen* Taschen . . .	den *billigen* Kleidern

After *dieser/diese/dieses* ⟶ *diese* the pattern is the same.

schön ⟶ schöner ⟶ der schönste

To make comparison you add *–er* and *–(e)ste* to the adjective:

Der Hut ist *schön*.	The hat is nice.
Dieser Hut ist *schöner*.	This hat is nicer.
Das ist *der schönste* Hut.	That is the nicest hat.

Some adjectives take an *umlaut* (marked in brackets in the word lists):

Der Rock ist *lang*.	The skirt is long.
Dieser Rock ist *länger*.	This skirt is longer.
Das ist *der längste* Rock.	That is the longest skirt.

To make pronunciation easier, some adjectives drop *e* in the *–er* form, e.g. *teuer* ⟶ *teurer* ⟶ *der teuerste*; others add *e* in the *–ste* form, particularly when they end in *–s, –ß, –t, –z*, e.g. *kurz* ⟶ *kürzer* ⟶ *der kürzeste*.

slightly irregular:

groß ⟶ *größer* ⟶ *der größte*;   *hoch* ⟶ *höher* ⟶ *der höchste*;   *nah* ⟶ *näher* ⟶ *der nächste*

completely irregular:

gut ⟶ *besser* ⟶ *der beste*

Adjectives in the *–er* and *–(e)ste* forms follow the pattern of other adjectives (see above and pages 27, 39):

Ich möchte einen *längeren* Rock.	I'd like a longer skirt.
Das sind unsere *teuersten* Kleider.	These are our most expensive dresses.
Er sucht eine *bessere* Stelle.	He is looking for a better job.
Kaufen Sie nur den *besten* Wein.	Only buy the best wine.

when to use wenn *and* wann

wenn has two meanings:

● 'if' in the sense of 'provided that':

Ich komme, wenn es nicht regnet.	I'll come if it doesn't rain.
Gehen Sie ins Theater, wenn Sie Lust haben.	Go to the theatre if you feel like it.

●● 'when' or 'whenever' in the sense of 'as soon as, at the time when':

Sie wird sich wundern, wenn sie ihn sieht.	She'll be surprised when she sees him.
Wir schreiben immer, wenn wir auf Urlaub sind.	We always write when(ever) we're on holiday.

wann is used in direct and indirect questions, in the sense of 'when, at what time':

Wann kommt er denn?	When is he coming?
Ich möchte wissen, wann er zu Hause ist.	I'd like to know when he is at home.

Übungen

a) Turn the two sentences into one, joining them with the word in brackets:

1. Ich kann nicht kommen. Ich gehe ins Theater. (weil) ....

2. Sie freut sich. Er bringt ihr den Brief. (daß) ....

3. Ich habe (es) nicht gewußt. Er will bald heiraten. (daß) ....

4. Erzählen Sie mir alles. Sie kommen morgen zu mir. (wenn)..................................

5. Ich treffe Sie um sieben. Haben Sie Zeit? (wenn) ....

6. Er sucht eine Stelle. Er kommt hier nicht weiter. (weil) ....

7. Wir sind froh. Sie hilft uns aus. (daß) ....

8. Sind Sie sicher? Er holt uns vom Bahnhof ab. (daß) ....

9. Du sollst nicht böse sein. Ich habe mich schlecht benommen. (weil)..................................

b) Turn the two statements into one (e.g. Ich kaufe *das Kleid*. Es ist *rot*. →Ich kaufe *das rote Kleid*.):

1. Der Hut gefällt mir. Er ist grün...................................

2. Möchten Sie diese Karten? Sie sind billig. ....

3. Ich kaufe diesen Rock. Er ist kurz. ....

4. Haben Sie diesen Brief gelesen? Er ist wichtig. ....

5. Kennen Sie die Dame? Sie ist hübsch. ....

6. Bleiben wir in dieser Skihütte? Sie ist gemütlich. ....

7. Ich nehme das Menü. Es ist billig. ....

8. Sind Sie schon mit dem Auto gefahren? Es ist neu. ....

9. Vielen Dank für die Blumen. Sie sind schön. ....

c) Complete the sentences with the −ste form of the words in italics:

1. Der Rock ist *kurz*. Ich möchte den — Rock. ....

2. Die Blumen sind *schön*. Suchen Sie die — Blumen aus. ....

3. War der Winter *kalt*? Ja, es war der — Winter. ....

4. Der Zug ist *schnell*. Ich will mit dem — Zug fahren. ....

5. Der Wein ist *gut*. Geben Sie mir den — Wein. ....

d) *wenn* or *wann*? Put in the right word:

1. Ich möchte wissen, — der Zug ankommt. ....

2. Kommen Sie um neun, — Sie Lust haben. ....

3. — hat er vor, Urlaub zu machen? ....

4. Grüßen Sie ihn bitte, — Sie ihn sehen. ....

5. Du wirst dich wundern, — du den Brief liest. ....

e) Which of these statements about the scene are correct? Underline them:

1. Klaus verdient mehr, wenn er am Tag/abends/nachts arbeitet. ....

2. Herr Müller gibt ihm acht/fünf/sieben Mark für die Fahrt. ....

3. Frau Bender ist im Schloßhotel/Reisebüro/Stadttheater/Zirkus. ....

4. Sie wird wütend/sich freuen/sich wundern, wenn sie Klaus sieht. ....

5. Klaus soll sie heute abend/morgen abend/morgen früh abholen. ....

6. Frau Bender weiß eine Stelle für ihn als Agent/Reiseleiter/Schürzenjäger/Empfangschef/Assistent. ....

9 Klaus am Empfang

im Schloßhotel in Ansburg

	Frau Bender:	Guten Morgen, Klaus. Ist Post für mich da?
	Klaus:	Guten Morgen, Frau Bender. Ein Momentchen, ich will gleich mal nachsehen. Nein. Leider ist noch nichts für Sie gekommen. Vielleicht kommt etwas mit der zweiten Post.
5	*Frau Bender:*	Wie gefällt Ihnen die neue Stelle? Es freut mich, daß Sie sie bekommen haben. Herr Falk hat mir gestern erzählt, was für ein tüchtiger junger Mann Sie sind.
	Klaus:	Danke, Frau Bender. Der Chef ist sehr nett zu mir und erklärt mir alles. Ich hab' schon viel gelernt. Vielleicht werd' ich bald Hoteldirektor.
	Frau Bender:	Immer langsam, Klaus. So schnell geht's nicht.
10	*Klaus:*	Schade! Frau Bender, übrigens, die Reisegruppe aus England hat zwanzig Karten für Ihre Premiere am 9. Juni reserviert. Ich habe dem Reiseleiter gesagt, daß Sie hier wohnen. Was für eine Aufregung bei den Gästen!
	Frau Bender:	Hoffentlich wird die Aufführung ein Erfolg. Auf Wiedersehen, Klaus. Ich muß zur Probe.
15	*Klaus:*	Auf Wiedersehen, Frau Bender.

*   *   *

	Frl. Vorberg:	Bitte, welches Datum haben wir heute?
	Klaus:	Heute ist der 12. Mai, Fräulein Vorberg.
	Herr Franklin:	Der 12. Mai! Ein wichtiger Tag. Heute ist das große Fußballspiel Birmingham United gegen F.C. Ansburg. Welche Straßenbahn fährt zum Stadion?
20	*Klaus:*	Die Linie 3. Haben Sie denn schon Karten? 10 000 Zuschauer sollen kommen. Es ist das größte Fußballspiel in diesem Jahr.
	Herr Franklin:	Karten habe ich mir schon im März besorgt. Die Ansburger werden sich wundern, was für eine gute Mannschaft wir haben . . .
	Frl. Vorberg:	Der Herr ist Ausländer, nicht wahr?
25	*Klaus:*	Ja, er ist Engländer.
	Frl. Vorberg:	Ach so! Sagen Sie, welche Straße hat die besten Geschäfte hier?
	Klaus:	Die Goethestraße, Fräulein Vorberg.
	Frl. Vorberg:	Das ist ja nicht weit von hier. Da kann ich zu Fuß gehen. Und noch etwas bitte. Sie können mir sicher Auskunft geben. Aus welcher Zeit ist das Rathaus?

Es ist sehr schön.

Klaus: Es ist neunzig Jahre alt. Der gotische Stil ist natürlich nicht echt.

Frl. Vorberg: Und welches ist das schönste Museum hier?

Klaus: Das Stadtmuseum, Fräulein Vorberg. Das müssen Sie sich ansehen. Dort gibt

5 es sehr schöne Bilder . . .

Herr Franklin: Entschuldigen Sie. Ich habe vergessen, Sie etwas zu fragen. Ich habe großen Durst. Kann ich um diese Zeit ein Glas Wein bekommen?

Klaus: Selbstverständlich. Soll ich Ihnen eine Flasche auf Ihr Zimmer schicken?

Herr Franklin: Wunderbar!

10 *Klaus:* Was für einen Wein wünschen Sie? Einen guten Mosel?

Herr Franklin: Ja, bitte.

Klaus: Welche Zimmernummer haben Sie?

Herr Franklin: 103.

Klaus: Geht in Ordnung! . . .

15 *Frl. Vorberg:* Bitte schön. Wie alt ist denn die Marienkirche? So alt wie das Rathaus?

Klaus: Nein. Sie ist aus dem dreizehnten Jahrhundert, Fräulein Vorberg. Das ist eine sehr schöne gotische Kirche. Eine Sehenswürdigkeit!

Frl. Vorberg: Ach, Sie wissen so viel. Warum sind Sie denn nicht Reiseleiter? Sehen Sie, ich werde Geschichtslehrerin. Diese Sachen interessieren mich sehr. Um

20 welche Zeit sind Sie mit der Arbeit fertig?

Klaus: Oh, das ist ganz verschieden . . .

Empfangschef: Herr Siebeck, Telefon für Sie. Sie wissen, eigentlich lassen wir keine privaten Gespräche zu.

Klaus: Ja, Chef, es tut mir leid.

25 *Empfangschef:* Na gut, es ist das erste Mal, aber merken Sie es sich.

Klaus: Hallo! . . . Ach Georg, wie geht's? . . . Wohin gehen wir heute abend? . . . In die Weinstube am Rathaus? . . . Gut. Da trinken wir einen Schoppen. Barbara kommt doch auch, nicht wahr? . . . Einen Gruß an sie. Ich treffe euch um neun. Bis dann. Tschüs!

30 *Frl. Vorberg:* Ach, dann werde ich jetzt ins Museum gehen. Übrigens, was für ein Film läuft heute abend im Kino?

Klaus: In welchem Kino, Fräulein Vorberg?

Frl. Vorberg: Im Rex.

Klaus: „Der dritte Mann" mit Orson Welles.

35 *Frl. Vorberg:* Das ist ja ein ganz alter Film. Aber ich kenne ihn noch nicht. Besorgen Sie mir bitte eine Karte. Ich brauche wohl nur eine.

Klaus: Eine Karte, selbstverständlich, Fräulein Vorberg . . . Was für ein Beruf!

---

der Empfang	reception (desk)
übrigens	by the way
die Reisegruppe(–n)	(travel) party
die Premiere(–n) (*pron.* 'Premjere')	first night
die Aufregung(–en)	excitement
der Gast(—e)	guest
welcher	which
das Datum (*pl.* Daten)	date
das Fußballspiel(–e)	football match
gegen (+ den)	against
F.C. = Fußballclub	football club
das Stadion (*pl.* Stadien)	stadium
der Zuschauer(–)	spectator
sich (etwas) besorgen (besorgt)	to get (something for oneself)

die Mannschaft(—en)	team
gotisch	gothic
der Stil(—e)	style
der Durst	thirst
das Jahrhundert(—e)	century
die Geschichtslehrerin(—nen)	history teacher (woman)
verschieden	different, various
zu|lassen (läßt zu, zugelassen)	to allow, admit
das Gespräch(—e)	telephone call, conversation
sich (etwas) merken (gemerkt)	to bear in mind, make a note of (something)
der Schoppen(—)	$\frac{1}{4}$ litre (of wine), half a pint
wohl	presumably

immer langsam	not so fast
welches Datum haben wir?	what is the date?
ach so!	oh, I see
noch etwas	another thing
aus welcher Zeit?	what period?
ich habe großen Durst	I'm very thirsty
geht in Ordnung!	that'll be seen to
sind Sie fertig mit . . .?	have you finished with . . .?
das ist ganz verschieden	that varies
merken Sie es sich	remember about it, make a note of it
einen Gruß an sie	my regards, my love to her
was für ein Film läuft . . .?	what film is on, is showing . . .?

Was für einen Wein möchten Sie?

The best German wines are generally white wines, grown in the Rhine valley (*Rheinwein*), the Moselle valley (*Moselwein*), and Franconia (*Frankenwein*). An easy way to find out where a wine comes from is to look at the bottle: *Rheinwein* comes in a reddish-brown bottle, *Moselwein* in a green one and *Frankenwein* in a flask called *Bocksbeutel*. Wines are often called after the village or vineyard where they are grown, e.g. *Bernkasteler Riesling, Piesporter Goldtröpfchen, Wehlener Schloßberg, Niersteiner Domtal*.

Wine bottles contain three-quarters of a litre. If you want to order less, ask for *einen halben Liter* ($\frac{1}{2}$ litre) or for *einen Schoppen* or *ein Viertel* ($\frac{1}{4}$ litre). This is usually served in a glass or earthenware jug. The traditional white wine glasses are called *Römer*.

In most towns there are *Weinstuben*, small taverns which also provide light meals. There are no licensing hours and *Weinstuben* and other places where drinks are served are generally open until midnight. Taverns as well as the smaller restaurants close one day a week (*Ruhetag*), the choice of day being left to the owner.

zwanzig, einundzwanzig . . . hunderteins, hundertzwei

Numbers above twenty are formed by putting *eins, zwei, drei* before *zwanzig, dreißig*, and joining them with *und*. Note that *eins* becomes *ein*:

einundzwanzig 21	dreiundvierzig 43	fünfundachtzig 85
zweiundzwanzig 22	vierundvierzig 44	sechsundachtzig 86

Numbers over a hundred are formed by adding the other figures and writing them as one word:

(ein)hunderteins 101	(ein)tausenddreiundvierzig 1043
dreihunderteinundzwanzig 321	zweitausendfünfhundertvierundvierzig 2544

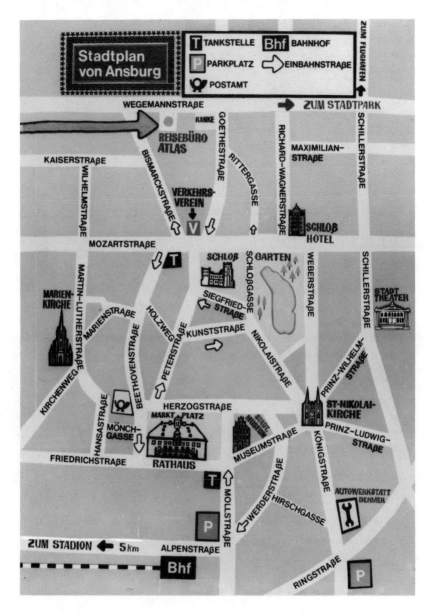

der erste, der zweite, der dritte . . .

Numbers below twenty add –*te*; *eins* and *drei* are irregular:

    der erste   1st   der zweite   2nd   der dritte   3rd   der vierte   4th, etc.

From twenty onwards –*ste* instead of –*te* is added:

    der zwanzigste   20th   der einundzwanzigste   21st   der hundertste   100th
                      der tausendste   1000th

erste, *zweite*, etc. follow the pattern of adjectives. They are written 1., 2., etc.:

Das ist ihr *erstes* Buch.	That's her first book.
Ich möchte den *zweiten* Film sehen.	I'd like to see the second film.
Es war die *hundertste* Aufführung.	It was the hundredth performance.

welches Datum ist heute?

Heute ist der *erste* April.	Today is April 1st.
Er kommt am *zweiundzwanzigsten* Mai.	He is coming on May 22nd.
Danke für Ihren Brief vom *achten* Juli.	Thank you for your letter of July 8th.

In letter headings the date is given as follows:

Köln, den 5. Februar   London, *den* 29. Oktober

If you want to say in what year something happens, you either give the figure only, or add *im Jahre* (which is slightly more literary):

1968 (neunzehnhundertachtundsechzig) bin ich zum ersten Mal nach Italien gefahren.
In 1968 I went to Italy for the first time.
Im Jahre 1968 waren die Olympischen Spiele in Mexiko.
In 1968 the Olympic Games were in Mexico.

If you want to say in what month something happens, you say *im Januar, im Februar, im März*, etc.

ich bin Engländer . . . er wird Hoteldirektor

When giving your nationality, profession, or status, or saying what you are going to be, *ein/eine* is omitted when there is no adjective:

Ich bin Engländer.	I am an Englishman.
Er ist Taxifahrer.	He is a taxi driver.
Mein Chef wird Hoteldirektor.	My boss is going to be a hotel manager.
but: Er ist *ein* zuverlässiger Taxifahrer.	He is a reliable taxi driver.

welcher?/welche?/welches? → welche?

welcher + noun in a question means 'which, what'. It follows the pattern of *dieser/diese/dieses* (see page 133):

Welcher Herr hat nach mir gefragt?	Which gentleman asked about me?
Welche Tasche soll ich kaufen?	Which bag shall I buy?
In *welchem* Hotel wohnen Sie?	Which hotel are you staying at?
Welche Bilder haben Ihnen gefallen?	Which pictures did you like?

when to use welcher? *and* was für?

welcher implies selection from a given number:

Welcher Herr hat nach mir gefragt?
Welche Tasche soll ich kaufen?
In welchem Hotel wohnen Sie?   } i.e. which one(s)
Welche Bilder gefallen Ihnen?

was für (+ *ein*) is used to enquire about the nature of an object or person:

Was für ein Herr hat nach mir gefragt?
Was für eine Tasche soll ich kaufen?
In was für einem Hotel wohnen Sie?   } i.e. what kind of, type of
Was für Bilder gefallen Ihnen?

Note that *ein* follows the usual pattern. It is omitted with plurals.

was für (+ *ein*) is also used in exclamations in the sense of 'what a . . . .

Was für ein schönes Hotel!	What a nice hotel!
Was für schreckliche Bilder!	What awful pictures!

Übungen

a) Write the sentences out in full:

1. Herzlichen Dank für Ihren Brief vom 8. April. _achten April_

2. Wir kommen am 17. August in Hamburg an. _siebzehnten august_

3. Am 25. fahren wir wieder zurück. _fünfundzwanzigsten_

4. Reservieren Sie 2 Zimmer für die Nacht vom 20. zum 21. Mai. _zwei zwanzigsten einundzwanzigsten_

5. Ich schreibe Ihnen heute zum 3. Mal. _dritten_

6. Das 1. Mal habe ich Ihnen am 27. geschrieben und das 2. Mal am 31. _erste siebenundzwanzigsten zweite einunddreißigsten_

b) Give the answers according to the words in brackets:

1. Was ist Herr Franklin? (netter Engländer) _Er ist ein netter Engländer._

2. Was wird seine Schwester? (Sekretärin) _Sie wird Sekretärin._

3. Was ist Jürgen? (Student) _Er ist Student_

4. Was ist sein Freund? (guter Taxifahrer) ....

5. Was wird der Empfangschef? (Direktor) ....

c) Ask for the words in italics, using the right form of *welcher?* (e.g. *Der Hut* gehört mir. → *Welcher Hut* gehört Ihnen?):

1. *Das Auto* gehört mir. ....

2. *Der Herr* hat schon alles bestellt. ....

3. *Die Karten* sind so teuer. ....

4. Ich möchte mit *diesem Zug* fahren. ....

5. Er hat mit *der Dame* gesprochen. ....

6. Wir gehen lieber in *dieses Museum.* ....

d) *welcher?* or *was für (ein)?* Complete the questions by putting in the appropriate forms:

1. Ich suche ein Hotel. — Hotel möchten Sie? ....

2. Der junge Mann ist sehr tüchtig. — jungen Mann meinen Sie? ....

3. Mein Freund hat eine neue Stelle. — Stelle ist es denn? ....

4. Sehen Sie mal die schönen Bilder. — Bild gefällt Ihnen? ....

5. Wir haben zwei Empfangschefs. Mit — Empfangschef haben Sie gesprochen? ....

....

6. Diese Stadt hat viele Sehenswürdigkeiten. — Sehenswürdigkeiten gibt es denn? ....

....

e) Consult the map on page 57 and answer these questions:

1. In welcher Straße ist das Schloßhotel? ....

2. Wo ist das Stadtmuseum? ....

3. Wo steht das Rathaus? ....

4. Ist das Stadion in der Stadt? ....

5. Fräulein Vorberg will in die Goethestraße. Durch welche Straße muß sie gehen?

....

6. Frau Bender fährt mit dem Auto vom Hotel zum Stadttheater. Wie muß sie fahren?

....

10 Erika geht zum Friseur

beim Friseur

Erika: Guten Tag, Herr Max. Ich habe mich gestern angemeldet. Ich möchte eine neue Frisur.

Herr Max: Bitte, nehmen Sie Platz, Fräulein Koch. Sie sehen gut aus. Wo waren Sie die ganze Zeit? Wissen Sie, daß Sie schon lange nicht mehr bei uns gewesen sind?

5 *Erika:* Ja, ich weiß. Ich habe so viel zu tun gehabt.

Herr Max: Was für eine Frisur möchten Sie? Was haben Sie sich vorgestellt?

Erika: Ich möchte etwas Lustiges. Kürzer und bequemer. Dann kann ich mir die Haare legen, wenn ich es mal eilig habe.

Herr Max: Ja, ich verstehe. Sie wollen verreisen?

10 *Erika:* Nein, nein. Meinen Urlaub nehme ich später. Ich fahre im September nach München.

Herr Max: Zum Oktoberfest? Das wird Ihnen gefallen. Ich bin letztes Jahr zum ersten Mal dort gewesen. Ich war begeistert davon. Die großen Bierzelte mit der lustigen Musik! Vergessen Sie ja nicht, Steckerlfisch und Brathendl zu essen,

15 wenn Sie dort sind. Natürlich müssen Sie dazu auch eine Maß Bier trinken. Es gibt doch nichts Besseres als bayerisches Bier. Finden Sie nicht?

Erika: Doch, doch.

Herr Max: So, und jetzt an die Arbeit! Zuerst werde ich Ihnen die Haare kurz schneiden, und dann machen wir eine leichte Dauerwelle. Soll ich die Haare auch färben?

20 Einen helleren Ton vielleicht, weil Ihnen blond so gut steht?

Erika: Nein, Herr Max, lieber nicht. Ich möchte zuerst sehen, wie ich mir mit den kurzen Haaren gefalle. Ich habe auch nicht viel Zeit.

Herr Max: Sie haben's immer eilig. Wie geht es denn im Geschäft? Arbeiten Sie noch immer im Reisebüro?

25 *Erika:* Ja, aber es ändert sich viel dort. Herr Müller ist nicht mehr da. Herr Eckert ist unser neuer Chef. Er will alles anders machen.

Herr Max: Ja, so sind die neuen Chefs. Aber man sagt ja, neue Besen kehren gut!

Erika: Hoffentlich. Klaus arbeitet auch nicht mehr bei uns. Aber morgen kommt ein Student aus Köln. Er will in seinen Ferien bei uns aushelfen.

30 *Herr Max:* Aus Köln! Ach, nach Köln müssen Sie mal fahren, Fräulein Koch, wenn Karneval ist. Da ist viel los: die ganze Nacht durch tanzt man und dann am nächsten Morgen gleich weiter. Und der Rosenmontagszug . . .

Erika: Halt, Herr Max! Ich glaube, daß meine Haare zu kurz werden.

Herr Max: Oh nein, Fräulein Koch. Sehen Sie, sie dürfen noch kürzer werden. Es soll doch

35 eine bequeme Frisur sein.

Erika: Dann schneiden Sie weiter. Wenn es nur keine Glatze wird!

im Reisebüro Atlas

Herr Eckert: Guten Tag, was wünschen Sie?

Jürgen: Ich möchte Fräulein Koch sprechen.

Herr Eckert: Tut mir leid. Sie ist nicht da. Kann ich Ihnen helfen?

Jürgen: Mein Name ist Jürgen Hoffmann. Ich soll hier im Reisebüro aushelfen.

5 *Herr Eckert:* Ah, ich freue mich, daß Sie da sind. Guten Tag. Eckert ist mein Name. Ich habe Sie eigentlich morgen erwartet. Aber es ist gut, daß Sie früher gekommen sind. Ich bin im Moment allein im Büro und kann sehr gut Hilfe brauchen.

Jürgen: Hat Fräulein Koch denn heute frei?

Herr Eckert: Nein, nein, sie ist nur nebenan zum Friseur gegangen. Ich glaube, sie erwartet
10 Besuch. Sie wird Ihnen alles zeigen und erklären, wenn sie zurückkommt. Wollen Sie nicht ablegen und mir gleich mit der Post helfen?

Jürgen: Ja, selbstverständlich, Herr Eckert, nur wollte ich . . .

Herr Eckert: Ach so! Ich sehe, daß Sie Blumen in der Hand haben. Vielleicht haben Sie noch einen Besuch zu machen?

15 *Jürgen:* Ja, ich wollte zuerst die alte Tante von Fräulein Koch begrüßen.

Herr Eckert: Die alte Tante von Fräulein Koch? Ich habe gar nicht gewußt, daß sie eine Tante in Ansburg hat. Na gut, dann sehe ich Sie später . . .

*   *   *

beim Friseur

Herr Max: So. Jetzt sind wir gleich fertig.

Erika: Drei Stunden! Was für eine Arbeit für einen Kopf!

20 *Herr Max:* Aber was für ein Kopf! Nun, Fräulein Koch, wie gefallen Sie sich? Sehen Sie sich mal von hinten an! Hier ist noch ein Spiegel.

Erika: Herr Max, diese Frisur ist wirklich schön. Ich glaube, sie steht mir.

Herr Max: Sie steht Ihnen wunderbar. Sie sehen viel lustiger damit aus . . . Fräulein Koch, da winkt Ihnen ein Herr am Eingang.

25 *Erika:* Ein Herr? Oh je . . . das wird doch nicht . . .

Jürgen: Guten Tag, Erika.

Erika: Jürgen, du bist schon da!

Jürgen: Ja, ich hab' mir's anders überlegt und bin einen Tag früher gekommen.

Erika: Wie schön. Aber woher hast du gewußt, daß ich hier bin? Und die schönen
30 Blumen! Sind sie für mich?

Jürgen: Natürlich – das heißt, eigentlich sind sie für deine alte Tante.

Erika: Für wen? Aber ich habe doch keine Tante hier.

Jürgen: Doch. Ich war im Reisebüro. Herr Eckert wollte, daß ich gleich mit der Arbeit anfange. Dazu habe ich keine Lust gehabt, und da habe ich ihm erzählt, . . .

35 *Erika:* . . . daß du zu meiner Tante willst. Du bist schrecklich, Jürgen! Ich bezahle schnell, und dann feiern wir unser Wiedersehen.

Jürgen: Im besten Restaurant von Ansburg!

Erika: Aber Herr Eckert erwartet uns im Büro. Ach was! Ich rufe ihn an und sage ihm, daß meine alte Tante krank ist.

---

der Friseur(–e) (*pronounced* 'Frisör')	hairdresser, barber
sich an|melden (angemeldet)	to make an appointment
die Frisur(–en)	hair style
bequem	comfortable
das Haar(–e)	hair
legen (gelegt)	to set (hair)
die Maß	litre (jug of beer)
schneiden (geschnitten)	to cut

61

die Dauerwelle(–n)	permanent wave
färben (gefärbt)	to dye, tint
hell	light (colour)
der Ton(–e)	tone, shade
sich ändern (geändert)	to alter, change
anders	different(ly)
der Besen(–)	broom
kehren (gekehrt)	to sweep
die Ferien (pl.)	holiday(s)
die Glatze(–n)	bald head
erwarten (erwartet)	to expect
nebenan	next door
ab|legen (abgelegt)	to take one's coat off
begrüßen (begrüßt)	to greet, say 'hello' to
nun	now, well now
wirklich	really
der Eingang(–e)	entrance
nehmen Sie Platz!	take a seat
wo waren Sie die ganze Zeit?	where have you been all this time?
ich lege mir die Haare	I set my hair
an die Arbeit!	let's get down to work
schneiden Sie weiter	go on cutting
was wünschen Sie?	can I help you?
es ist gut, daß . . .	it's a good thing that . . .
ich kann Hilfe brauchen	I can do with help
sie hat frei	she is off, has the day off
einen Besuch machen	to pay a visit
ich hab' mir's anders überlegt	I changed my mind
das heißt (d.h.)	that is (i.e.)
er wollte, daß ich . . .	he wanted me to . . .
ach was!	nonsense, go on

Sprichwort

Neue Besen kehren gut.	New brooms sweep clean.

Beim Damenfriseur

bitte schneiden/waschen/färben/legen Sie mir die Haare	please cut/wash/dye/set my hair
die Haare nicht zu kurz schneiden	don't cut my hair too short
ich möchte eine Dauerwelle	I'd like a perm
ein besonderes Schampun	a special shampoo
einen Festiger	a setting lotion
eine andere Frisur	a different hair style
einen Pony	a fringe
einen Pferdeschwanz	a pony tail

Beim Herrenfriseur

einmal Haare schneiden bitte	just a cut, please
etwas kürzer	a little shorter
oben nicht zuviel wegschneiden	don't take too much off the top
den Nacken ausrasieren	tidy up the back of the neck
an den Seiten und hinten kurz	short back and sides

Das Oktoberfest

Once a year, in the last week of September and the first week of October, Munich is the scene of the biggest beer festival in Germany. It is held on the *Theresienwiese*, a vast exhibition ground in the middle of the town. In addition to roundabouts, rifle-ranges and all the other attractions of a funfair, there are enormous beer tents (*Bierzelte*), one for every Munich brewery. Inside the *Bierzelte* there is music, beer is drunk out of big earthenware jugs (*Maßkrüge*) holding one litre, and served with it is grilled chicken (*Brathendl*) or fried fish (*Steckerlfisch*). The fair is open from early morning till 11 p.m., and attracts visitors from all over Germany and from abroad.

Wiederholungsübungen

a) Complete the letter by adding the correct endings:

Sehr geehrt— Herr Meyer,

Best— Dank für Ihr— Brief vom erst— März. Wir reservieren Ihnen und Ihr— Frau gern ein schön—, ruhig— Doppelzimmer. Leider haben wir nur zwei klein—, aber bequem—, Einzelzimmer für Ihr— Freunde. Es tut uns sehr leid, daß wir kein— größer— Zimmer um dies— Zeit frei haben, aber am dritt— fangen unser— Festspiele an.

Ein— Prospekt von unser— Hotel und über die verschieden— Sehenswürdigkeiten haben wir gestern an Sie und Ihr— Freunde geschickt.

Mit den best— Empfehlungen

Herbert Frankl

(Hoteldirektor)

(Haben Sie einen Fehler gemacht? Dann sehen Sie bitte auf Seite 133, 135 und 136 nach.)

b) Amplify the questions (e.g. Ich setze mich. Und *Sie?* → *Setzen Sie sich?*):

1. Ich freue mich. Und Sie? *Freuen Sie sich?*
2. Wir setzen uns. Und ihr? *Setzt ihr euch?*
3. Wir kaufen uns ein Auto. Und du? *Kaufst du dir ein Auto*
4. Er hat sich gut erholt. Und seine Frau? *Hat seine Frau (sie) sich gut erholt*
5. Ich kann mich erinnern. Und Sie? ....
6. Ich will mich zuerst umziehen. Und Ihre Freunde? ....
7. Sie hat sich Karten besorgt. Und ihr Bruder? ....
8. Ich schminke mich gern. Und du? ....
9. Meine Freundin legt sich immer die Haare. Und Ihre Schwester? ....

(Haben Sie einen Fehler gemacht? Dann sehen Sie bitte auf Seite 39 und 46 nach.)

c) Re-write the sentences beginning with the words in brackets:

1. Sie schneiden mir die Haare zu kurz. (Ich möchte nicht, daß . . .) ....

2. Wann kommt er an? (Wissen Sie . . .) ....

3. Wir haben kein Geld. (Wir können nicht verreisen, weil . . .) ....

4. Wie heißt der Friseur? (Ich habe vergessen . . .) ....

5. Er hat nichts Besseres zu tun. (Er kommt, wenn . . .) ....

6. Sie ist zum Friseur gegangen. (Sie haben mir nicht gesagt, daß . . .) ....

7. Er ist so gut wie verlobt. (Ich habe nicht gewußt, daß . . .) ....

(Haben Sie einen Fehler gemacht? Dann sehen Sie bitte auf Seite 16 und 51 nach.)

d) Complete the sentences by using the *-er* form of the adjective (e.g. Die Schuhe sind nicht *billig.* → Ich möchte *billigere* Schuhe.):

1. Die Frisur ist nicht schön. Ich möchte eine — Frisur. ....

2. Der Friseur ist nicht gut. Ich suche einen — Friseur. ....

3. Die Haare sind nicht kurz genug. Ich möchte — Haare. ....

4. Diese Weinstube ist nicht gemütlich. Wir gehen in eine — Weinstube. ....

5. Der Zug fährt schnell. Möchten Sie mit einem — Zug fahren? ....

6. Der Kaffee ist nicht heiß genug. Bringen Sie uns — Kaffee. ....

7. Das Bier ist nicht kalt. Geben Sie mir — Bier. ....

(Haben Sie einen Fehler gemacht? Dann sehen Sie bitte auf Seite 52 nach.)

e) Answer these questions with complete sentences beginning with *Ja, . . .* (e.g. Wann fahren Sie nach England? *Nächste Woche?* → Ja, ich fahre *nächste Woche* nach England.):

1. Wann gehen Sie zum Friseur? Morgen? ....

2. Wo waren Sie diesen Sommer? In München? ....

3. Um wieviel Uhr kommt der Zug hier an? Um 8.30? ....

4. Wohin wollt ihr heute abend gehen? Ins Theater? ....

5. Um welche Zeit können Sie zu uns kommen? Nach dem Essen? ....

(Haben Sie einen Fehler gemacht? Dann sehen Sie bitte auf Seite 51 nach.)

Rätsel

Complete these statements about the scene. The third letters of the missing words reading downwards will tell you where Jürgen found Erika.

Jürgen will auch im Reisebüro — . ...

Im Reisebüro ändert sich — . ...

Erika will eine schöne Frisur, — Jürgen kommt. ....

Sie will nach München — — fahren. ....

Ihr wird das Oktoberfest gut — . ...

Herr Max will ihr die Haare sehr — schneiden. ....

Die neue — steht ihr gut. ....

Jürgen will noch einen — machen. ....

Der neue — will alles anders machen. ....

Herr Max hat Erika eine leichte — gemacht. ....

Aber sie wollte nicht, daß er die Haare — . ...

64

Kreuzworträtsel

ß is written *ss*

waagerecht

2. Sie hat —— von seiner Eifersucht.
4. —— für heute!
8. Sie können nicht kommen? —— ——!
10. In Köln ist viel ——.
11. Wie geht es —— Frau?
12. Er will die Haare noch kürzer——.
15. *(see 22 down)*
18. Wir fahren nach Hamburg und Bremen. Kennen Sie —— —— ?
20. Ich sitze nicht, ich ——.
21. acht, ——, zehn.
23. Der Brief ist nicht da. Wo ist ——?
24. An eine Firma schreibt man „Sehr —— Herren''.
25. *(see 26 down)*
27. Heute blau —— —— ——.
29. Ist der Chef —— ?
30. Bleibt ihr eine Woche? Nein, länger, —— ——.

senkrecht

1. Machen Sie das Fenster nicht —— —— auf!
2. Sehr —— Frau Doktor.
3. Zuerst nach links und dann —— ——.
4. mit 7 und 6 senkrecht: Wir sehen sie. Aber —— —— —— nicht.
5. Was ist los? Brauchen Sie —— ?
6. *(see 4 down)*
7. *(see 4 down)*
9. Ich bin fremd hier, ich bin ——.
13. Die Ski—— hat nur einen Wohnraum.
14. Ursula schreibt ihrer Freundin. Zum Schluß schreibt sie —— ——.
16. Herr Ober, wir wollen ——.
17. Ich freue mich. —— —— sich nicht auch?
18. Sehen Sie mal —— ——. Er hat ein Hütchen auf dem Kopf.
19. —— —— seine Frau kommen später.
22. mit 15 waagerecht: Es ist kein Liebesbrief, es ist —— ——.
24. Ich habe die —— Zeit gewartet.
26. mit 25 waagerecht: —— verreisen Sie dieses Jahr?
28. Das war —— nicht schwer.

11 Frau Bender läßt sich fotografieren

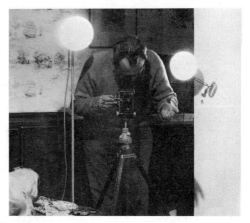

beim Fotografen

Herr Krone: Guten Tag, Frau Bender. Es freut mich, Sie wieder einmal zu sehen. Brauchen Sie wieder Porträts?

Frau Bender: Keine Porträts, sondern Aufnahmen für meine Schallplatten. Ich habe Ihnen doch schreiben lassen, was ich brauche.

5 *Herr Krone:* Ach ja, natürlich. Was für Schallplatten machen Sie denn? Tonaufnahmen aus dem Theater?

Frau Bender: Leider nein. Ich singe nicht im Theater, sondern im Studio. Zuerst habe ich es gar nicht machen wollen, aber zum Schluß hat mich mein Agent dazu überredet.

Herr Krone: Er hat sicher recht. Mit Schallplatten kann man sich einen großen Namen machen.
10 Wie stellen Sie sich denn die Aufnahmen vor? Sollen Sie in Farbe sein?

Frau Bender: Aber Herr Krone, das habe ich Ihnen doch auch schreiben lassen. Ich brauche eine Aufnahme als Zerlina und eine als Christel von der Post. Lassen Sie mich bitte nicht warten, denn ich habe nicht viel Zeit.

Herr Krone: Selbstverständlich. Dann fangen wir mit der Zerlina an. Ich glaube, daß ich
15 genau die richtige Perücke dafür habe. Wollen Sie sie bitte aufsetzen. Sehr schön. Schminken Sie sich lieber hier, denn da haben Sie besseres Licht. Inzwischen bereite ich alles vor . . .

Frau Bender: So, ich bin so weit.

Herr Krone: Gut. Noch einen kleinen Moment. Möchten Sie eine Zigarette? Bitte schön, hier
20 ist Feuer.

Frau Bender: Danke, nein. Ich möchte jetzt nicht rauchen. Wollen wir nicht lieber anfangen?

Herr Krone: Ja, gleich. Ich muß nur noch die Scheinwerfer einstellen und einen Film einlegen. Sie sehen wunderbar aus, Frau Bender. So. Stellen Sie sich hier vor die Kamera. Drehen Sie den Kopf etwas nach links. Lächeln Sie bitte . . . etwas freundlicher . . .
25 Was haben Sie denn? Sind Sie nervös?

Frau Bender: Ich? Oh, nein!

Herr Krone: Dann versuchen wir's noch einmal. Bitte lächeln.

Frau Bender: Herr Krone, ich möchte eine andere Perücke. Sie paßt nicht zu meinen Augen.

Herr Krone: Aber sie steht Ihnen herrlich.

30 *Frau Bender:* Sie paßt nicht zur Zerlina, sondern nur zur Christel.

Herr Krone: Gut. Wenn Sie meinen. Dann machen wir zuerst die Aufnahme als Christel. Wollen Sie dazu den Schal hier nehmen?

Frau Bender: Danke.

Herr Krone: Gut. Drehen Sie jetzt den Kopf wieder nach links . . . etwas mehr bitte . . .
35 *Frau Bender:* Aber Herr Krone, so dürfen Sie mich nicht fotografieren. Das ist meine schlechte Seite. Haben Sie denn gar kein Interesse an den Bildern? So werde ich schrecklich aussehen. Und das Licht ist auch schlecht.

Herr Krone:	Frau Bender, Sie sind aber wirklich etwas nervös heute. So werden wir nie fertig.
Frau Bender:	Ich brauche gute Aufnahmen für meine ersten Schallplatten. Das ist sehr wichtig. Ich habe Ihnen viel Zeit gegeben, aber Sie haben nichts Richtiges vorbereiten können und lassen mich eine halbe Stunde warten.
5 *Herr Krone:*	Aber bitte, Frau Bender, was ist denn nur los? Wir können auch ein anderes Mal weitermachen, wenn Sie wollen.
Frau Bender:	Ich kann mir auch einen anderen Fotografen suchen. Vielleicht hat er mehr Interesse und Zeit für mich.
Herr Krone:	Frau Bender, ich werde tun, was ich kann . . . Entschuldigen Sie, Telefon. Hier
10	Krone. Einen Moment, bitte. Frau Bender, für Sie.
Frau Bender:	Hallo, Manfred. Haben Sie Nachricht aus Amerika?
Herr Müller:	Natürlich. Deshalb rufe ich ja an.
Frau Bender:	Was hat der Direktor gesagt?
Herr Müller:	Nicht viel.
15 *Frau Bender:*	Aber er hat Ihnen doch etwas sagen müssen?
Herr Müller:	Er hat nur gesagt, daß er Sie morgen erwartet.
Frau Bender:	Manfred, wie herrlich!
Herr Müller:	Ich habe einen Platz für den Flug um 21 Uhr gebucht. Sehe ich Sie heute nachmittag?
20 *Frau Bender:*	Nein, das geht leider nicht, denn ich muß noch schnell zum Friseur. Ich treffe Sie am Flughafen.
Herr Müller:	Ich bin um Viertel nach acht dort.
Frau Bender:	Gut. Bis dann. . .Oh, ich bin so glücklich.
Herr Krone:	Sie fliegen nach Amerika?
25 *Frau Bender:*	Ja, ich soll morgen in New York singen.
Herr Krone:	Ich gratuliere Ihnen, Frau Bender.
Frau Bender:	Aber warum tun Sie denn alles weg?
Herr Krone:	Sie haben doch einen anderen Fotografen suchen wollen.
Frau Bender:	Kein anderer Fotograf, sondern Sie sollen mich fotografieren. Ich habe mich
30	immer gern von Ihnen fotografieren lassen, denn Sie machen so gute Aufnahmen.
Herr Krone:	Aber die Perücke hat Ihnen doch nicht gefallen.
Frau Bender:	Ach was! Sie steht mir wunderbar, denn sie paßt genau zu meinen Augen.
Herr Krone:	Ja, Frau Bender, aber das Licht hat Ihnen doch auch nicht gefallen.
Frau Bender:	Ach, davon verstehen Sie mehr als ich. Machen Sie nur weiter. So werden wir
35	ja nie fertig. Ich muß noch meine Koffer packen und zum Friseur gehen.
Herr Krone:	Ein Momentchen, gleich ist alles so weit. Das Licht ist noch nicht richtig. Ich muß die Kamera einstellen. Ach, und ich habe vergessen, den Film einzulegen.
Frau Bender:	Herr Krone, Sie sind aber nervös heute!

---

fotografieren (fotografiert)	to take a photograph
der Fotograf(–en)	photographer
(den/dem Fotografen)	
das Porträt(–s) (*pron.* 'Porträ')	portrait
sondern	but (instead), on the contrary
die Aufnahme(–n)	photograph
die Schallplatte(–n)	record, disc
die Tonaufnahme(–n)	recording
überreden (überredet)	to persuade
die Farbe(–n)	colour
genau	exact(ly)
das Licht(–er)	light
inzwischen	in the meantime

vor|bereiten (vorbereitet)	to prepare
das Feuer (–)	fire, light
der Scheinwerfer(–)	spotlight
ein|stellen (eingestellt)	to adjust, focus
ein|legen (eingelegt)	to put in, load (camera)
drehen (gedreht)	to turn
lächeln (gelächelt)	to smile
passen (gepaßt) zu (+ dem)	to go with, suit
das Interesse(–n)	interest
die Nachricht(–en)	piece of news
buchen (gebucht)	to book (flight, etc.)
weg	away, aside
packen (gepackt)	to pack
zum Schluß	in the end
warten lassen	to keep waiting
ich bin so weit	I'm ready
hier ist Feuer	here's a light
was haben Sie denn?	what's the matter with you?
wenn Sie meinen	if you think so
haben Sie kein Interesse an (+ dem) . . . ?	aren't you interested in . . . ?
das geht nicht	that's not possible

Für den Fotografen

der Fotoapparat(–e)	camera
die Kamera(–s)	(film) camera
die Linse(–n)	lens
der Sucher(–)	viewfinder
der Verschluß(÷sse)	shutter
der Auslöser(–)	release button
die Belichtungszeit(–en)	exposure time
der Belichtungsmesser(–)	exposure meter
die Blende(–n)	aperture
der Entfernungsmesser(–)	range finder
das Blitzlicht(–er)	flashlight
der Schwarzweißfilm(–e)	black-and-white film
der Farbfilm(–e)	colour film
das Dia(–s)	colour slide, transparency

haben + wollen, können, müssen, usw.

haben is followed by *wollen, können, müssen, sollen, dürfen*, instead of the past forms *gewollt, gekonnt, gemußt, gesollt, gedurft* when there is another verb in the sentence. In such sentences *wollen, können,* etc. stand last and the other verb comes immediately before it:

Er hat es nicht machen *wollen*.	He didn't want to do it.
Haben Sie alles verstehen *können*?	Could you understand everything?
Wir haben lange warten *müssen*.	We had to wait a long time.
Sie hat uns nichts sagen *dürfen*.	She wasn't allowed to tell us anything.
Sein Chef hat es nicht wissen *sollen*.	His boss wasn't supposed to know about it.

Elsewhere the normal past forms are used:

Er hat die Stelle nicht *gewollt*.	He didn't want the job.
Sie hat es nicht *gedurft*.	She wasn't allowed to do it.

lassen

With *lassen* (to leave, let) the word saying what you will let someone do comes at the end of the sentence:

Ich lasse Sie es *wissen*.	I'll let you know (about it).
Lassen Sie mich die Sache *erklären*.	Let me explain the whole business.

It is also used in the sense of 'making someone do something' or 'having something done':

Lassen Sie mich nicht lange *warten*!	Don't keep me waiting long. (i.e. make me wait)
Ich lasse mir die Haare *schneiden*.	I'm having my hair cut. (i.e. make someone do it)
Wir lassen uns *fotografieren*.	We're having our photograph taken.

Like *wollen, können, müssen,* etc. it has two past forms with *haben* (see above). When there is another verb in the sentence, the form *lassen* is used and stands last, with the other verb immediately before it:

Ich habe Sie lange warten *lassen*.	I kept you waiting a long time.
Sie hat sich die Haare schneiden *lassen*.	She had her hair cut.
Wir haben uns fotografieren *lassen*.	We had our photograph taken.

Elsewhere the normal past form *gelassen* is used:

Ich habe meinen Fotoapparat zu Hause *gelassen*.	I left my camera at home.
Wo haben Sie Ihr Auto *gelassen*?	Where did you leave your car?

denn

denn at the beginning of a phrase means 'as, since' in the sense of 'the reason being that . . .' Note that there is no change in word order:

Ich kann nicht zu Ihnen kommen, *denn* mein Auto ist kaputt.
I can't come to you as my car isn't working.

Er wird es nicht wissen, *denn* er ist Ausländer.
He probably won't know as he is a foreigner.

Jetzt kann ich nicht fotografieren, *denn* das Licht ist zu schlecht.
I can't take any photographs now since the light is too poor.

(For *denn* meaning 'then', which only occurs in questions, see page 10)

when to use sondern and aber

sondern means 'but' in the sense of 'on the contrary', 'but . . . instead'. It is used when the preceding phrase or sentence contains words like *nicht, nichts, nie, kein.* As with *denn* and *aber* there is no change in word order:

Er ist *nicht* zu Hause, *sondern* er ist verreist.	He is not at home, but (on the contrary) he has gone away.
Ich will *kein* Auto, *sondern* ein Haus.	I don't want a car, but a house.
Sie will *nicht* den Portier, *sondern* den Direktor sprechen.	She doesn't want to speak to the head porter, but to the director (instead).
Ich esse *nichts, sondern* ich trinke eine Tasse Kaffee.	I won't eat anything but I'll have a cup of coffee (instead).

Elsewhere *aber* is used:

Er kommt heute, aber ohne seine Frau.	He's coming today but without his wife.
Ich will ein Auto, aber es muß billig sein.	I want a car but it must be cheap.
Wir schreiben gern, aber wir können nicht anrufen.	We'll gladly write but we can't ring.

In colloquial speech *aber* often occurs in the middle of a sentence. It suggests an element of surprise:

Das ist aber schön.	(But) that's nice.
Er hat mir aber nichts gesagt.	(But) he didn't tell me anything.
Da haben Sie aber Glück gehabt.	You were lucky (weren't you).

Übungen

a) *sondern* or *aber*? Insert the correct word for 'but':

1. Ich habe drei Stunden gewartet, — mein Freund ist nicht gekommen. ....
2. Sie fliegt nicht nach Paris, — nach New York. ....
3. Ich möchte kein grünes Kleid, — ein rotes Kleid. ....
4. Sie hat einen interessanten Beruf, — sie muß viel arbeiten. ....
5. Er hat nichts vorbereitet, — er hat alles vergessen. ....

b) Connect the two sentences with the word in brackets:

1. Ich kann nicht rauchen. Ich habe kein Feuer. (denn) ....
2. Sie geht zum Fotografen. Sie braucht Aufnahmen. (weil) ....
3. Er kommt nicht zu uns. Wir gehen zu ihm. (sondern) ....
4. Der Zug ist noch nicht eingelaufen. Er hat Verspätung. (denn) ....
5. Sie wartet auf seinen Brief. Er schreibt nicht. (aber) ....
6. Die Perücke steht ihr. Sie paßt zu ihren Augen. (weil) ....

c) Change the sentences so that they refer to the past:

1. Wir können kein Zimmer reservieren. ....
2. Warum kann er sie denn nicht überreden? ....
3. Ich muß alles gut vorbereiten. ....
4. Sie läßt sich die Haare schneiden. ....
5. Wir dürfen unser Auto hier nicht parken. ....
6. Er läßt sie nie warten. ....

70

d) Complete the answers by saying that the person is having it done (e.g. Kann er *das Auto* nachsehen? Nein, er *läßt es nachsehen*.):

1. Kann er den Brief schreiben? Nein, ...

2. Können Sie den Koffer bringen? Nein, ...

3. Kann sie die Aufnahmen machen? Nein, ...

4. Können sie alles vorbereiten? Nein, ...

5. Können Sie die Plätze buchen? Nein, ...

6. Kann er mich vom Flughafen abholen? Nein, ...

e) Begin your answers about the text with *weil*:

1. Warum geht Frau Bender zum Fotografen? ....

2. Warum gefällt ihr die Perücke nicht? ....

3. Warum ist sie glücklich? ....

4. Warum fliegt sie nach Amerika? ....

5. Warum kann sie Herrn Müller heute nachmittag nicht treffen? ....

Rätsel

Complete the phrases. The third letters of the missing words reading downwards will tell you what photographers always ask you to do.

An die – – – – – !

Gott – – – Dank!

– – – mir leid.

Ich – – – – – um Verzeihung.

Es – – – – – mich, Sie zu sehen.

Sie hat's immer – – – – –

– – – – – – Frau.

Das kommt – – – – – in Frage.

So – – – – – – – geht's nicht.

– – – – Glück!

zum ersten – – –

Das – – – – ja nett werden!

im Büro

Sekretärin: Guten Morgen, Herr Müller. Viel Post heute.

Herr Müller: Ist ein Brief aus Amerika dabei?

Sekretärin: Jeden Tag fragen Sie nach dem Brief aus Amerika. Sie haben Glück. Heute ist einer per Eilboten gekommen. Bitte schön.

5 *Herr Müller:* Er ist sehr wichtig, wissen Sie.

Sekretärin: Das kann ich mir vorstellen, wenn Sie jeden Tag danach fragen. Hier ist Ihre andere Post: ein Einschreibebrief, zwei Postkarten, Zeitungen und eine Rechnung. Wollen Sie gleich die Antwort auf die Briefe diktieren?

Herr Müller: Nein, Fräulein Förster. Das hat Zeit. Machen Sie mir bitte einen Kaffee. Ja?

10 *Sekretärin:* Gerne. Ich mache Ihnen sofort einen . . .

Herr Müller: Endlich schreibt sie. Wie ist es ihr gegangen? Was macht sie allein in Amerika? Keiner ist da, um ihr zu helfen . . . „Lieber Manfred, endlich habe ich einen Moment Zeit, um Ihnen zu schreiben. Leider konnte ich es nicht früher tun, denn hier ist jede Minute ausgefüllt. Ich habe noch nicht genug von Amerika gesehen,

15 um Ihnen davon zu erzählen. Ich kann nur sagen, daß ich von New York begeistert bin. Alle Leute sind so nett zu mir, und jeder bringt mir Blumen. Bei meiner Ankunft wartete mein alter Freund Dick Zoltan am Flughafen, um mich zu begrüßen. Er brachte mich ins Hotel, wo wir meine Ankunft feierten und ich seine verschiedenen Kollegen kennenlernte. Am nächsten Tag telefonierte ich gleich mit dem Theater-

20 direktor, um den Vertrag zu besprechen. Ich brauchte nicht lange zu warten. Man holte mich vom Hotel ab, und ich konnte den Vertrag gleich unterschreiben." Hoffentlich hat sie nichts Falsches unterschrieben. Eine Frau ohne jede Hilfe! Das nächste Mal muß ich mit ihr fahren. Sie schreibt gar nichts von ihrem Auftritt. Ah, doch. „Und nun will ich Ihnen von meinem ersten Abend erzählen. Wir

25 hatten nur Zeit für eine Probe, und das machte mich natürlich etwas nervös. Aber stellen Sie sich vor, wer der Dirigent war – Reinhart Wendenberg. Was für ein Glück! Mein erster Abend war ein großer Erfolg, denn mit ihm konnte ich natürlich wunderbar arbeiten. Er fliegt übermorgen in die Schweiz. Schade, daß wir nur so kurz zusammen sind . . ."

30 *Sekretärin:* Ihr Kaffee, Herr Müller. Sie müssen ihn gleich trinken. Er wird sonst kalt.

	Herr Müller:	Danke. „Schade, daß wir nur so kurz zusammen sind . . ."	
	Sekretärin:	Haben Sie etwas gesagt, Herr Müller?	
	Herr Müller:	Nein. Doch. Wissen Sie etwas über Reinhart Wendenberg?	
	Sekretärin:	Wendenberg? Der Name ist mir bekannt. Wendenberg? Ist das nicht ein Dirigent?	
5	*Herr Müller:*	Jawohl. *Yes indeed.*	
	Sekretärin:	Ich glaube, er war früher an der Berliner Oper.	
	Herr Müller:	Kann sein, kann sein . . . Fräulein Förster, wollen Sie bitte diesen Brief vom *answer* *matter exactly.*	
		Stadttheater für mich beantworten? Schreiben Sie, daß ich mir die Sache genau *think over*	
		überlegen muß.	
10	*Sekretärin:*	Selbstverständlich. Sonst noch etwas?	
	Herr Müller:	Danke, im Moment nichts . . . Was schreibt sie noch? „Er möchte nach Deutsch-	
		land kommen, um eine Konzertreise zu machen. Vielleicht können Sie ihm dabei *request*	
		helfen, lieber Manfred. Nun habe ich noch eine Bitte. Ich möchte in Ansburg ein	
		Haus kaufen, denn ich habe zu lange in Hotels gewohnt. Finden Sie nicht auch?	
15		Und nach Berlin zurück will ich nicht. Suchen Sie bitte einen zuverlässigen	
		Häusermakler. Leider kenne ich keinen. Das Haus soll im Grünen liegen, aber	
		nah genug, um schnell in die Stadt zu kommen. Ich bin am Freitag wieder zurück	
		und komme mit dem Flugzeug um 13 Uhr 25 an. Bitte holen Sie mich ab. Am	
		Samstag können wir uns dann die Häuser ansehen. Mit herzlichen Grüßen, Ihre	
20		Elisabeth." Sie will ein Haus kaufen? Doch sicher nicht für sich allein? Sie will	
		sich die Häuser mit mir zusammen ansehen? Da denkt sie doch vielleicht . . . Ach,	
		Elisabeth! Fräulein Förster, Fräulein Förster.	
	Sekretärin:	Ja bitte, Herr Müller. Entschuldigen Sie, der Brief ist noch nicht ganz fertig.	
	Herr Müller:	Lassen Sie doch den Brief. Morgen ist auch noch ein Tag und übermorgen noch	
25		einer.	
	Sekretärin:	Jawohl, Herr Müller.	
	Herr Müller:	Rufen Sie jeden Häusermakler in der Stadt an. Ich suche ein schönes großes	
		Haus im Grünen, nicht zu weit von der Stadt . . .	
	Sekretärin:	Sie wollen umziehen, Herr Müller?	

---

dabei	with it
jeder	each, every; everybody
der Einschreibebrief(–e)	registered letter
danach	about it, after it
die Postkarte(–n)	post card
die Rechnung(–en)	bill
sofort	immediately, at once
um . . . zu	in order to
davon	about it
der Kollege(–n) (den/dem Kollegen)	colleague
der Vertrag(—e)	contract, agreement
unterschreiben (unterschrieben)	to sign
der Dirigent(–en)	conductor
(den/dem Dirigenten)	
übermorgen	the day after tomorrow
die Schweiz	Switzerland
jawohl	yes indeed, of course
beantworten (beantwortet)	to answer, reply to
die Bitte(–n)	request
der Häusermakler(–)	estate agent
nah (ä)	near
um|ziehen (ist umgezogen)	to move (house)

Sie haben Glück	you're lucky
per Eilboten	by express mail, special delivery
die Antwort auf (+ den)	the answer to
bei meiner Ankunft	when I arrived
in die Schweiz	to Switzerland
der Name ist mir bekannt	the name sounds familiar (to me)
sonst noch ,etwas?	anything else?
im Grünen	in the surrounding countryside

Redensart

Morgen ist auch noch ein Tag	Tomorrow is another day.

Auf dem Postamt

Einen Luftpostbrief (*airmail letter*) schickt man mit (per) Luftpost (*airmail*),
einen Einschreibebrief (*registered letter*) als Einschreiben (*by registered mail*),
einen Eilbrief (*express letter*) durch (per) Eilboten (*by express mail*).
Um einen Brief zu schicken, muß man Briefmarken (*stamps*) kaufen, und ihn mit dem richtigen
Porto (*postage*) frankieren (*to frank*).

Pakete und Päckchen gibt man am Paketschalter auf. Um ein Paket zu schicken, muß man eine
Paketkarte (*parcel form*) ausfüllen.

Die größeren Postämter haben einen Nachtschalter (*counter open at night*) für Telegramme,
Einschreibebriefe, Briefmarken, usw.

einer . . . keiner . . . meiner

ein, kein, mein, sein, unser, etc. can be used without a noun. They then add the same endings as
dieser and *welcher* (see pages 58 and 133), and their meaning changes slightly:

Suchen Sie ein Taxi? Dort steht *ein(e)s*.	Are you looking for a taxi? There is one.
Haben Sie eine Bahnsteigkarte? Nein, ich habe noch *keine*.	Have you a platform ticket? No, I haven't got one yet.
Wem gehört der Koffer? Danke, das ist *meiner*.	Whose suitcase is it? Thank you, that's mine.
Mein Auto ist kaputt. Fahren Sie doch mit *unserem*.	My car has broken down. Go in ours.

Note: *keiner* by itself means 'nobody, not . . . anybody':

Keiner kennt mich hier.	Nobody knows me here.
Ich habe mit *keinem* gesprochen.	I haven't spoken to anybody.

jeder/jede/jedes

jeder + noun means 'every, each'. It also follows the pattern of *dieser* and *welcher* (see pages 58 and 133):

Sie schreibt *jede* Woche.	She writes every week.
Jedes Kind bekommt ein Stück Schokolade.	Each child gets a piece of chocolate.
Wir waren in *jedem* Museum.	We've been to every museum.
Er geht *jeden* Sonntag ins Kino.	He goes to the cinema every Sunday.

Note: *jeder* by itself means 'everybody, anybody':

Das weiß doch *jeder*.	(But) everybody knows that.
Mein Mann kennt *jeden*.	My husband knows everybody.
Das kann man *jedem* erzählen.	You can tell that to anybody.

um . . . zu

um . . . zu + verb expresses purpose and means 'to' in the sense of 'in order to'; *um* stands at the beginning of the phrase, *zu* + verb at the end:

Ich bin gekommen, *um* Ihnen den Brief *zu* zeigen.	I came to show you the letter.
Wir fahren zum Flughafen, *um* meine Tante ab*zu*holen.	We are going to the airport to fetch my aunt.
Er versuchte alles, *um* mich *zu* überreden.	He tried everything to persuade me.
Sie geht zum Friseur, *um* sich die Haare schneiden *zu* lassen.	She is going to the hairdresser's to have her hair cut.

machte . . . wartete . . . erzählte

This is the past tense mostly used in writing, in newspaper and radio reports, and in story-telling. Verbs which combine the *ge — — t* or *— — t* forms with *haben* or *sein* follow the pattern of *wollte*:

wollen → gewollt	machen → gemacht	warten → gewartet	erzählen → erzählt
ich woll*te* (*wanted*)	ich mach*te* (*made*)	ich warte*te* (*waited*)	ich erzähl*te* (*told*)
du woll*test*	du mach*test*	du warte*test*	du erzähl*test*
er, sie, es woll*te*	er, sie, es mach*te*	er, sie, es warte*te*	er, sie, es erzähl*te*
wir woll*ten*	wir mach*ten*	wir warte*ten*	wir erzähl*ten*
ihr woll*tet*	ihr mach*tet*	ihr warte*tet*	ihr erzähl*tet*
Sie woll*ten*	Sie mach*ten*	Sie warte*ten*	Sie erzähl*ten*
sie woll*ten*	sie mach*ten*	sie warte*ten*	sie erzähl*ten*

Verbs which are slightly irregular:

bringen → gebracht	dürfen → gedurft	haben → gehabt
ich brachte *(brought)* . . .	ich durfte *(was allowed to)* . . .	ich hatte *(had)* . . .

denken → gedacht	erkennen → erkannt	kennen → gekannt
ich dachte *(thought)* . . .	ich erkannte *(recognised)* . . .	ich kannte *(knew)* . . .

können → gekonnt	verbringen → verbracht
ich konnte *(could)* . . .	ich verbrachte *(spent [time])* . . .

müssen → gemußt	wissen → gewußt
ich mußte *(had to)* . . .	ich wußte *(knew)*

Verbs which separate into two parts follow the same pattern as in the present tense, i.e. the first part stands last in a simple sentence or question:

Er *machte* die Tür *auf*.	He opened the door.
Was *hatten* sie für heute abend *vor*?	What had they planned for this evening?

— but they remain joined after *daß*, *wenn*, *weil*, and in indirect questions:

Ich wußte nicht, was Sie *vorhatten*.	I didn't know what you had planned.
Es war kalt, weil er die Tür *aufmachte*.	It was cold because he opened the door.

hatte, *durfte*, *konnte*, *mußte*, *wußte*, like *wollte*, are often preferred in colloquial speech to the forms with *haben*:

Ich hatte keine Zeit. (= Ich habe keine Zeit gehabt.)
Er konnte nicht kommen. (= Er hat nicht kommen können.)
Wir mußten lange warten. (= Wir haben lange warten müssen.)
Sie wußte nichts von der Sache. (= Sie hat nichts von der Sache gewußt.)

when to use tun and machen

tun means 'to do' in the sense of 'to carry out or accomplish an action':

Wir haben heute viel zu tun.	We have a lot to do today.
Können Sie mir einen Gefallen tun?	Can you do me a favour?
Man tut, was man kann.	One does one's best.

tun can sometimes mean 'to put':

Tun Sie die Blumen ins Zimmer.	Put the flowers in the room.
Warum tut er die Sachen weg?	Why is he putting the things away?

machen means 'to make' or 'to do (a particular thing)':

Sie macht sich ein Kleid.	She is making herself a dress.
Soll ich Kaffee machen?	Shall I make coffee?
Das haben Sie gut gemacht.	You did that well (i.e. that particular thing).

tun and *machen* are often interchangeable in colloquial speech when they are used in a general sense; *machen* is slightly more casual than *tun*:

Was macht/tut sie allein?	What is she doing by herself?
So etwas macht/tut man nicht.	One doesn't do anything like that.
Machen/Tun Sie, was Sie wollen.	Do what you like.

Übungen

a) Insert the correct form of *jeder*:

1. In — Stadt gibt es ein Arbeitsamt. ....
2. — Woche kommt er zu uns. ....
3. In — Hotelzimmer ist ein Radio. ....
4. Er schreibt ihr — Tag. ....
5. — kennt mich hier. ....
6. Es regnet — Jahr, wenn wir verreisen. ....

b) Insert the right form of the word in brackets:

1. Er hat kein Geld. Sie hat auch — . (kein) ....

2. Ich kann meinen Zimmerschlüssel nicht finden. Ist das — ? (mein) ....

3. Dieser Hut gehört mir. Ist das — ? (Ihr) ....

4. Ich habe eine Bitte. Wir haben auch — . (ein) ....

5. Ihr Auto kann ich sehen, aber — nicht. (sein) ....

6. Ist ein Brief für mich da? Nein, es ist — gekommen. (kein) ....

7. Sie hat ihren Spiegel vergessen. Sie kann — nehmen. (mein) ....

c) Connect the two statements with *um . . . zu* (e.g. Ich gehe zum Postamt. Ich will *einen Brief schicken.* → Ich gehe zum Postamt, *um einen Brief zu schicken.*):

1. Wir fahren in die Schweiz. Wir wollen Ski fahren. ....

2. Ich gehe in die Stadt. Ich möchte mir ein Kleid kaufen. ....

3. Er bleibt zu Hause. Er wartet auf seine Frau. ....

4. Sie hat heute Zeit. Sie schreibt ihm. ....

5. Sie geht zum Fotografen. Sie will sich fotografieren lassen. ....

6. Wir telefonierten mit dem Hotel. Wir wollten ein Zimmer bestellen. ....

....

d) Re-write the sentences so that they refer to the present:

1. Sie freute sich, daß sie endlich etwas von ihm hörte. ....

2. Es war schrecklich. Er mußte so lange warten. ....

3. Sie wollte uns schreiben, aber sie hatte nicht viel Zeit. ....

4. Warum machten Sie den Koffer nicht auf? ....

5. Er konnte nicht kommen, weil er etwas anderes vorhatte. ....

6. Ich wußte nicht, wem er das Paket brachte. ....

7. Man durfte ihn nicht stören. ....

Rätsel

Complete the statements about the scene. The first letters of the missing words will tell you where Frau Bender wants to have a house.

Herr Müller hat sehr auf — — gewartet. ....

Sie konnte nicht früher schreiben, denn jede — ist ausgefüllt. ....

Herr Müller möchte wissen, wie es ihr — — . ...

Der Dirigent heißt — — . ...

Er fliegt — in die Schweiz. ....

Frau Bender findet jeden so — . ...

Ihr erster Abend war ein großer — . ...

Herr Müller hat jeden Tag — ihrem Brief gefragt. ....

13 Abenteuer im Stadtpark

im Schloßhotel am Empfang

Empfangschef: Herr Siebeck, Sie wissen doch, daß Sie bei der Arbeit nicht Zeitung lesen dürfen.

Klaus: Ja, Chef, ich weiß.

Empfangschef: Und warum lesen Sie dann Zeitung?

5 *Klaus:* Chef, hier steht eine interessante Geschichte. Und in der Hotelhalle ist kein Mensch. Ich lege die Zeitung gleich weg, wenn ein Gast kommt.

Empfangschef: Sie sind unverbesserlich. Was für eine aufregende Geschichte lesen Sie denn da? Gibt's schon wieder einen neuen Skandal?

Klaus: Nein. Hier steht etwas von einem tollen Mädchen.

10 *Empfangschef:* So. Darf ich mal sehen?

Klaus: Aber, Chef, bei der Arbeit ist es doch verboten, Zeitung zu lesen!

Empfangschef: Sie sind wirklich unverbesserlich. Lesen Sie vor!

Klaus: „Gestern in den späten Abendstunden ging die junge Barbara S. durch den Stadtpark nach Hause. Es waren nur wenige Menschen unterwegs. Plötzlich

15 sah sie auf dem Weg eine Geldbörse liegen und hob sie auf. In diesem Moment entriß ihr ein junger Mann die Tasche und lief davon. Aber er hatte nicht mit der Geistesgegenwart der jungen Dame gerechnet. Sie hatte Judo gelernt, und zu seiner Überraschung warf sie ihn mit einem eleganten Schwung zu Boden. In diesem Moment ging ein älterer Mann vorbei. Er sah,

20 was los war, und rief sofort die Polizei. Der Dieb versuchte noch einmal davonzulaufen, aber die junge Dame ließ ihn nicht weg. Es war nicht das erste Mal, daß dieser mit dem Trick der verlorenen Geldbörse einer Frau die Tasche entriß. Die Polizei kam in wenigen Minuten. Da sagte der Dieb: „Bitte, nehmen Sie mich fest. Ich brauche Zeit, um mir einen neuen Beruf auszusuchen.

25 Nach dem Sieg dieses Mädchens kann ich mich bei den Kollegen nicht mehr sehen lassen." Ein tolles Mädchen, was?

Empfangschef: Ja, ja, das zarte Geschlecht. So sind die modernen Mädchen. Früher konnte man sie noch beschützen. Aber heute!

Klaus: Ich finde es auch besser, wenn ich ein Mädchen beschützen kann.

30 *Empfangschef:* Heißt nicht die Schwester Ihres Freundes Barbara?

Klaus: Sie meinen die Schwester von meinem Freund Georg? Ach nein, Georgs Schwester ist ganz anders. Sie ist zart und hilflos wie ein richtiges Mädchen und braucht den Schutz eines Mannes. Ich kenne sie gut, denn ich war mit ihr und ihrem Bruder zusammen auf Urlaub. Und von Judo versteht sie sicher

35 nichts.

Empfangschef: Ich habe sie ja noch nicht oft gesehen, aber ich habe den Eindruck, daß sie eine sehr selbständige junge Dame ist.

Klaus: Sie macht vielleicht den Eindruck, aber sie ist wirklich ein sehr zartes Mädchen . . .

Empfangschef: Hallo, hier Schloßhotel. Empfang.

Barbara: Bist du's, Klaus?

Empfangschef: Nein. Einen Moment bitte. Telefon für Sie, Herr Siebeck.

Klaus: Aber private Gespräche sind doch verboten!

5 Empfangschef: Na ja, es ist eine Dame am Apparat.

Klaus: Danke. Hallo, Siebeck.

Barbara: Klaus? Hier Barbara. Hast du schon mein Abenteuer im „Ansburger Morgen" gelesen?

Klaus: Dein Abenteuer? *Pick pocket*

10 Barbara: Ja, die Geschichte vom Taschendieb im Park.

Klaus: Das warst du?

Barbara: Natürlich. Hast du nicht gewußt, daß ich Judo kann?

Klaus: Nein.

Barbara: Ja, weißt du, ein modernes Mädchen braucht so etwas. Man kann nicht

15 immer auf den Schutz der Männer warten. Sie sind nie da, wenn man sie brauchte.

Klaus: Ach so. Ich gratuliere.

Barbara: Tschüs! Ich wollte dir's nur erzählen.

Klaus: Wie ist's mit heute abend? Hast du Zeit? Ich möchte genauer wissen, wie *exactly*

20 die Sache war. Dann feiern wir deinen Sieg mit einer Flasche Sekt. *German champagne* *maybe*

Barbara: Ich weiß noch nicht. Lieber morgen. Ich muß noch zur Polizei und dann zur Redaktion der „Illustrierten Woche." *editorial office*

Klaus: Was willst du denn auf der Redaktion einer illustrierten Zeitung?

Barbara: Sie haben mir ein Angebot gemacht.

25 Klaus: Was? Für die Geschichte vom Taschendieb?

Barbara: Nein. Für eine Stelle. Sie haben gesagt, sie brauchen moderne, selbständige Mädchen. Tschüs! ...

Empfangschef: Na, war das Ihre zarte Barbara? *make out a woman.*

Klaus: Ja, das war sie. Da soll sich einer mit den Frauen auskennen.

---

das Abenteuer(—)	adventure
die Geschichte(—n)	story
unverbesserlich	incorrigible
aufregend	exciting
der Skandal(—e)	scandal
unterwegs	about, on the way
plötzlich	suddenly
die Geldbörse(—n)	purse
auf|heben ([hob auf], aufgehoben)	to pick up
entreißen ([entriß], entrissen) (+dem)	to snatch away (from)
davon|laufen (läuft davon, [lief davon], ist davongelaufen)	to run off
die Geistesgegenwart	presence of mind
rechnen (gerechnet) mit (+ dem)	to reckon with, count on
werfen (wirft, [warf], geworfen)	to throw
rufen ([rief], gerufen)	to call
der Dieb(—e)	thief
fest|nehmen (nimmt fest, [nahm fest], festgenommen)	to arrest
der Sieg(—e)	victory

zart	delicate, gentle
das Geschlecht(−er)	sex
beschützen (beschützt)	to protect
hilflos	helpless
der Schutz (*no pl.*)	protection
der Eindruck(−̈e)	impression
selbständig	independent
der Taschendieb(−e)	pickpocket
die Redaktion(−en)	editorial office
illustriert	illustrated
bei der Arbeit	at work
hier steht . . .	here is, it says here
liegen sehen	to see lying . . .
zu Boden werfen	to fling to the ground
sie ließ ihn nicht weg	she wouldn't let him go
ich kann mich nicht sehen lassen	I can't show my face
am Apparat	on the telephone, calling
wie ist's mit . . . ?	how about . . . ?
da soll sich einer mit den Frauen auskennen	how can anyone make out women?

Die Polizei

Instead of a central police force, each of the eleven *Länder* has its own force. The uniforms vary slightly, some are green and some blue. Police forces are subdivided into criminal police (*Kriminalpolizei*) and ordinary police (*Schutzpolizei*), who are responsible for keeping law and order. Small groups of policemen called *Funkstreife* patrol the streets by car and can be contacted by telephone when needed. In case of a car accident or a driver being caught infringing the highway code (*Straßenverkehrsordnung*), the police are empowered to impose fines on the spot, carry out breath tests, and confiscate driving licences. If a driver refuses to pay or considers that he has been treated unfairly, his case will be brought before the court. A list of fines for the various driving offences can be obtained from stationers, booksellers and police stations.

Preisliste der Verkehrssünden

Park- und Haltesünden

1. Halten an Verbotsstellen und Parken auf dem Gehweg, ohne den Verkehr zu behindern — DM 5
2. Dasselbe mit Verkehrsbehinderung — DM 10
3. Überschreitung der Parkzeit bis zu einer Stunde — DM 5
4. Überschreitung der Parkzeit um mehr als eine Stunde — DM 10
5. Bei Parkverbot parken, ohne den Verkehr zu behindern — DM 10
6. Dasselbe mit Verkehrsbehinderung — DM 20
7. Verlassen des Fahrzeugs, ohne es genügend zu sichern — DM 5
8. Haltende oder liegengebliebene Fahrzeuge ungenügend kenntlich gemacht — DM 80

Alte Autofahrer denken gerne noch an die Zeit zurück, als das Autofahren teurer war als das Parken.
Im übrigen: kein Kommentar.

Fahrfehler auf der Strecke

a. ohne Geschwindigkeitsbeschränkungen

1. Verstoß gegen das Rechtsfahrgebot (unmotiviertes Fahren am Strich) — DM 80
2. Linksfahren auf Autobahnen — DM 100
3. Nichtbeachten der Vorfahrt — DM 80–300
4. Nichtbeachten eines Überholverbotszeichens — DM 100
5. Verstoß gegen das Rechtsfahrgebot an unübersichtlichen Stellen — DM 80–200

b. mit Geschwindigkeitsbeschränkungen

Überschreitung der erlaubten Geschwindigkeit (Steigerungsrate in Prozent):
von 10 bis 15 Stundenkilometer — DM 40
(1. Stufe 100 Prozent)
von 15 bis 20 Stundenkilometer — DM 60
(2. Stufe 100 Prozent)

der → des ... die → der ... das → des

When you want to state to whom or to what something belongs or is related, *der* and *das* → *des*, *die* (sing. and pl.) → *der*. After *des* nouns add –s or –es; those that add –n or –en after *den/dem* also add –n or –en after *des*:

der Dieb:	der Name *des* Diebes	the name of the thief
der Herr:	das Auto *des* Herrn	the gentleman's car
das Hotel:	die Zimmer *des* Hotels	the rooms of the hotel
die Dame:	die Adresse *der* Dame	the lady's address

plural:

die Diebe:	die Namen *der* Diebe	the names of the thieves
die Herren:	die Autos *der* Herren	the gentlemen's cars
die Hotels:	die Zimmer *der* Hotels	the rooms of the hotels
die Damen:	die Namen *der* Damen	the names of the ladies

Similarly, *dieser* and *dieses* → *dieses*, *diese* (sing. and pl.) → *dieser*:

Wir haben die Adresse *dieses* Herrn.	We have this gentleman's address.
Die Zimmer *dieses* Hotels sind sehr schön.	The rooms of this hotel are very nice.
Ich weiß den Namen *dieser* Dame nicht.	I don't know the name of this lady.

(k)ein → *(k)eines*, *(k)eine* → *(k)einer*, *keine* (pl.) → *keiner* (pl.); *mein, dein, sein, unser, euer, ihr, Ihr* follow the same pattern:

Sie ist die Schwester *eines* Freundes.	She is the sister of a friend.
Das ist das Auto *meiner* Frau.	That is my wife's car.
Hier sind die Adressen *unserer* Hotels.	Here are the addresses of our hotels.

Adjectives after *des/der* ... *dieses/dieser* ... *eines/einer*, etc. always end in –en:

Das ist das Auto *der* jung*en* Dame.	That is the young lady's car.
Hier ist die Adresse *eines* gut*en* Freundes.	Here is the address of a good friend.
Das sind die Namen *der* best*en* Hotels.	Those are the names of the best hotels.

Proper names and sometimes nouns denoting relatives are used without *des/der*, etc. Instead they add –s and stand in front of the word they relate to, much as in English:

Das ist *Georgs* Schwester.	That's George's sister.
Fräulein Kochs Chef ist auf Urlaub.	Fräulein Koch's boss is on holiday.
Wo ist *Mutters* Tasche?	Where is mother's bag?

Note: *Herr* before a proper name changes to *Herrn*:

Ist das *Herrn Müllers* Auto?	Is that Mr. Müller's car?

von + dem/der/den (pl.)

In colloquial speech the forms with *des/der* ... *eines/einer*, etc. are often replaced by *von* + *dem/der/den* (pl.) ... *einem/einer*, etc.:

Das ist die Tante von meinem Freund.	
Das ist die Tante meines Freundes.	That's my friend's aunt.
Dort steht das Auto von Ihrer Schwester.	
Dort steht das Auto Ihrer Schwester.	Your sister's car is standing over there.
Hier sind die Adressen von den besten Firmen.	
Hier sind die Adressen der besten Firmen.	Here are the addresses of the best firms.

F

ging . . . sah . . . verstand

The past tense used in writing and reporting of verbs which combine the *ge – – – en* or *– – – en* forms with *haben* or *sein* follows the pattern of *war;* the vowel and sometimes the consonants change:

sein → gewesen	gehen → gegangen	sehen → gesehen	verstehen → verstanden
ich war (*was*)	ich ging (*went*)	ich sah (*saw*)	ich verstand (*understood*)
du war*st*	du ging*st*	du sah*st*	du verstand*(e)st*
er, sie, es war	er, sie, es ging	er, sie, es sah	er, sie, es verstand
wir war*en*	wir ging*en*	wir sah*en*	wir verstand*en*
ihr war*t*	ihr ging*t*	ihr sah*t*	ihr verstand*et*
Sie war*en*	Sie ging*en*	Sie sah*en*	Sie verstand*en*
sie war*en*	sie ging*en*	sie sah*en*	sie verstand*en*

Other past forms of this type occurring in this lesson:

hob auf	*from*	auf|heben → aufgehoben
entriß	—	entreißen → entrissen
lief davon	—	davon|laufen → davongelaufen
warf	—	werfen → geworfen
rief	—	rufen → gerufen
ließ	—	lassen → gelassen
kam	—	kommen → gekommen

A complete list of this past tense is included in the reference section (see page 139). The past tense of verbs with the *ge– – – en* or *– – – en* forms is indicated in the word lists in brackets like this: *geben ('gibt, [gab], gegeben).*

when to use verstand *or* hat verstanden, machte *or* hat gemacht

The form of the past generally preferred in spoken German combines *haben* or *sein* with the *(ge) – – – t, (ge) – – – en* forms:

Ich *habe* die Frage nicht *verstanden*.   I didn't understand the question.
Sie *haben* einen Fehler *gemacht*.   You made a mistake.

The main exceptions (often for reasons of brevity) are *wollte, konnte, durfte, mußte* and sometimes *wußte, hatte, fand, gab, ging, kam, sah; war* and *ist gewesen* are virtually interchangeable:

Was *hat* er Ihnen *gegeben*?   What did he give you?
Er *gab* mir zehn Mark.   He gave me ten marks.

Haben Sie *gewußt*, daß er verlobt ist?   Did you know that he was engaged?
Nein, das *wußte* ich nicht.   No, I didn't know about that.

Haben Sie denn Geld *gehabt*?   Did you have any money?
Ja, ich *hatte* Glück. Ich *hatte* Geld bei mir.   Yes, I was lucky. I had money on me.

The past form that follows the pattern of *war* and *wollte* is generally used in writing, newspaper and radio reports, and story-telling, especially when giving an account of a dramatic event:

Plötzlich *kam* er ins Zimmer.   Suddenly he came into the room.
Sie *sah* ihn und *lief* davon.   She saw him and ran off.
Er *wollte* ihr nachlaufen.   He wanted to run after her.
Aber er *konnte* die Tür nicht aufmachen.   But he couldn't open the door.

Übungen

a) Re-write the sentences using the –s forms for the words in italics (e.g. *Die Mutter von Georg ist verreist.* ⟶ *Georgs Mutter* ist verreist.):

1. Wo steht das Auto *von Peter*? ....

2. Dort liegt der Hut *von Mutter*. ....

3. Die Tante *von Jürgen* wohnt in Köln. ....

4. Herr Eckert ist der Freund *von Herrn Müller*. ....

5. Haben Sie die Adresse *von Fräulein Koch*? ....

b) Re-write the sentences, replacing *von dem/von der*, etc. by the forms with *des/der*, etc.:

1. Möchten Sie die Adresse von der Dame? ....

2. Ich habe die Schwester von Ihrem Freund getroffen. ....

3. Kennen Sie die Geschichte von diesem jungen Mädchen? ....

4. Das ist das Porträt von einer bekannten Sängerin. ....

5. Der Direktor von dieser Firma ist sehr tüchtig. ....

6. Wissen Sie die Namen von diesen Leuten? ....

c) Turn the two sentences into one by using the forms with *des/der* . . . *meines/meiner*, etc. (e.g. Hier ist das Auto. *Es gehört meinem Freund.* ⟶ Hier ist das Auto *meines Freundes*.):

1. Hier liegt die Zeitung. Sie gehört unserem Chef. ....

2. Geben Sie mir die Tasche. Sie gehört meiner Freundin. ....

3. Ich habe die Geldbörse gefunden. Sie gehört Ihrer Mutter. ....

4. Hier ist der Hut. Er gehört diesem Herrn. ....

5. Wie gefällt Ihnen das Zimmer? Es gehört dem Direktor. ....

6. Wo sind die Koffer? Sie gehören den Gästen. ....

d) Re-write the passage so that it refers to the past, using the forms that are preferred in writing:

Er will sie überreden. Er versucht alles. Er läuft ihr nach. Er ruft sie jeden Tag im Büro an. Dann schreibt er ihr lange Briefe. Aber sie gibt keine Antwort darauf. Sie macht sie nie auf. Sie sieht ihn auch nicht mehr nach der Arbeit. Sie telefoniert auch nicht mit ihm. Warum? Weil sie genug von ihm hat.

....

....

....

....

....

e) Answer these questions about the text:

1. Durch welchen Park ging Barbara? ....

2. Was für ein Mann war der Dieb? ....

3. Was für ein Mann ging vorbei? ....

4. Was für ein Mädchen soll Barbara sein? ....

5. Was für ein Mädchen ist sie wirklich? ....

6. Zu welcher Redaktion will sie gehen? ....

14 Klaus kauft ein

im Feinkostgeschäft

Frau Maier: Guten Tag, Herr Siebeck. Was darf es sein?

Klaus: Ich will heute abend zu Hause essen und ein paar gute Sachen bei Ihnen einkaufen.

Frau Maier: So. Sind Sie wieder allein?

Klaus: Ja, meine Freundin ist verreist. Barbara arbeitet jetzt für die Redaktion der
5 „Illustrierten Woche". Deshalb ist sie viel unterwegs.

Frau Maier: Also, da wollen Sie heute keinen Sekt!

Klaus: Nein, stimmt.

Frau Maier: Weil Ihre Freundin verreist ist, wollen Sie den ganzen Abend allein verbringen?

Klaus: Ich bin müde, Frau Maier. Ich freue mich mal auf einen ruhigen Abend. Im Hotel
10 hatten wir heute wieder so viel zu tun. Was heute bei uns los war, können Sie
sich gar nicht vorstellen. Es kam eine große Reisegruppe an. Jeder der Gäste
wollte etwas anderes. Als ich nach Hause ging, dachte ich, im Reisebüro war es
vielleicht doch besser, vor allem viel ruhiger. Aber wenn man in einem guten
Hotel wie dem Schloßhotel arbeitet, verdient man natürlich mehr.

15 *Frau Maier:* Und Sie haben mehr Gelegenheit weiterzukommen. Stimmt's? Na, was möchten
Sie denn für Ihr Essen einkaufen?

Klaus: Die Tomaten sehen schön aus. Geben Sie mir vier Pfund.

Frau Maier: Wofür brauchen Sie so viele Tomaten? Das gibt einen Tomatensalat für zehn
Personen!

20 *Klaus:* Ach so, ja. Wenn das zuviel ist, geben Sie mir nur ein Pfund Tomaten.

Frau Maier: Was noch? Ein Paar Bratwürste vielleicht?

Klaus: Bratwürste esse ich eigentlich sehr gern. Aber womit soll ich sie braten?

Frau Maier: Sie können Öl nehmen.

Klaus: Aber ich hab' keins.

25 *Frau Maier:* Wenn Sie kein Öl haben, kaufen Sie ein Fläschchen. Oder wenn Sie wollen,
können Sie sie auch mit Margarine braten.

Klaus: Nein. Geben Sie mir lieber eine Flasche Öl.

Frau Maier: Damit können Sie auch gleich den Salat anmachen. Haben Sie Essig?

Klaus: Auch nicht.

30 *Frau Maier:* Wenn Sie keinen haben, nehmen Sie doch eine Zitrone.

Klaus: Ach, Frau Maier, Sie haben immer eine Idee. Jetzt brauche ich noch eine
Nachspeise. Als ich letzte Woche bei Ihnen einkaufte, hatten Sie so gutes Eis.
Ich glaub', es war Erdbeereis. Haben Sie noch etwas davon?

Frau Maier: Ich will gleich mal in der Tiefkühltruhe nachsehen. Ja, da ist eins. Weil Sie's
35 sind, packe ich's besonders gut ein, denn sonst schmilzt es gleich. Ist das alles?
Das macht zusammen vier Mark fünfzig.

Klaus: Jawohl, vier fünfzig. Hier, bitte schön.

Frau Maier: Danke, und guten Appetit.

Klaus: Auf Wiedersehen.

auf der Straße

Ursula: Klaus, Klaus! Guten Tag. Wenn du mit der Einkaufstasche über die Straße gehst, siehst du wie eine gute Hausfrau aus.

Klaus: Ursula, was für eine Überraschung! Was machst du denn hier? Sag mal, bist du eigentlich noch böse mit mir?

5 Ursula: Als ich vom Skiurlaub zurückkam, war ich sehr wütend . . .

Klaus: Ich weiß. Ich aber auch. Ich hab' mich sehr geärgert, als du mich so auf der Straße stehenließt.

Ursula: Wenn man so eifersüchtig ist wie du, hat man oft Grund sich zu ärgern.

Klaus: Und wenn man so gut wie verlobt ist, verliebt man sich nicht in jeden Skilehrer.

10 Ursula: Fängst du schon wieder an?

Klaus: Du hast angefangen.

Ursula: Nun aber Schluß damit! Wir wollen uns doch nicht streiten.

Klaus: Gut, Ursula. Laß uns die ganze Sache vergessen. Ja? Sag mal, hast du heute abend etwas vor?

15 Ursula: Nein. Ich will heute mal einen ruhigen Abend zu Hause verbringen. Ich muß hier nur schnell etwas zum Essen kaufen.

Klaus: Hier bei Frau Maier? Da habe ich gerade eingekauft. Weißt du was, wir kaufen noch ein bißchen mehr ein, und dann essen wir zusammen bei mir. Ich freue mich doch so, dich wiederzusehen . . .

* * *

im Feinkostgeschäft

20 Frau Maier: Ah, Herr Siebeck. Da sind Sie ja wieder. Haben Sie etwas vergessen? Ist Ihre Freundin Barbara schon wieder zurück?

Ursula: Ich heiße Ursula. Wer ist denn Barbara, Klaus? Wenn du mit ihr eine Verabredung hast, gehe ich lieber gleich nach Hause.

Frau Maier: Oh je, da habe ich wohl etwas Falsches gesagt.

25 Klaus: Wer ist jetzt eifersüchtig, Ursula? Als ich auf Urlaub war, traf ich die Schwester eines Freundes und ging ein paarmal mit ihr aus. Ist das so schlimm?

Ursula: Nein, aber . . . Ich hab's ja gar nicht so gemeint.

Klaus: Also, Frau Maier, wir essen zu zweit.

Frau Maier: Dann brauchen Sie wohl noch ein Pfund Tomaten, noch ein Paar Bratwürste
30 und noch ein Eis. Sonst noch etwas? Eine Vorspeise? Nehmen Sie tiefgekühlte Fischsuppe. Sie schmeckt köstlich.

Klaus: Gut. Und eine Flasche von diesem Wein, Frau Maier.

Frau Maier: Und wie ist's mit ein paar Stück Kuchen?

Ursula: Klaus, bitte kauf für mich keinen Kuchen. Sonst werde ich zu dick.

35 Frau Maier: Gut. Das macht dann acht fünfunddreißig. Ich wünsche den jungen Leuten einen guten Appetit. Aber merken Sie es sich: wenn man sich streitet, schmeckt das beste Essen nicht.

---

das Feinkostgeschäft(—e)	grocer's, also selling delicatessen and wine
ruhig	quiet(ly)
als	when
wofür	what for
der Tomatensalat(—e)	tomato salad
womit	what with
braten (brät, [briet], gebraten)	to fry, roast
das Öl	oil
die Margarine(—n)	margarine

85

an|machen (angemacht)	to dress (salad)
der Essig	vinegar
das Eis (*no pl.*)	ice, ice-cream
die Tiefkühltruhe(–n)	deep freeze
ein|packen (eingepackt)	to wrap up, pack
schmelzen (schmilzt, [schmolz], ist geschmolzen)	to melt
sich ärgern (geärgert)	to be annoyed
stehen|lassen (läßt stehen, [ließ stehen], stehengelassen)	to leave standing
eifersüchtig	jealous
der Grund(–e)	reason, grounds
sich streiten ([stritt], gestritten)	to quarrel
gerade	just (now)
die Vorspeise(–n)	first course, hors d'oeuvre
tiefgekühlt	deep frozen
die Fischsuppe(–n)	fish soup
schmecken (geschmeckt) (+ dem)	to taste; to like, enjoy (food)
sie ist viel unterwegs	she travels around a lot
sich freuen auf (+ den)	to look forward to
haben Sie noch etwas davon?	have you got any left?
das macht zusammen . . .	that comes to . . .
über die Straße gehen	to cross the road
ich aber auch	so was I
ein paarmal	a few times
zu zweit	the two of us together

Wo kauft man ein?

Despite the popularity of the *Supermarkt*, there is still a great variety of small shops which provide first-class food and individual service.

die Fleischerei

(called *die Metzgerei* in southern Germany): butcher's shop selling meat as well as a great variety of sausages, e.g. *Mettwurst* (finely chopped pork for spreading), *Leberwurst* (liver sausage), *Blutwurst* (black pudding), and hams, e.g. *gekochter Schinken* (cooked ham), *roher Schinken* (raw cured ham).

die Bäckerei

baker's shop usually selling home-made bread and cakes, and a variety of rolls, which are customarily eaten for breakfast. In southern Germany they also sell *Laugenbrezel*, a large bretzel often eaten with sausages, usually *Weißwürste*, and a glass of beer at eleven o'clock in the morning.

das Milchgeschäft (also called *die Meierei*): dairy selling milk and other dairy produce. It is not customary for the milkman to call.

Word order in sentences beginning with wenn, weil, *etc.*

If a sentence starts with *wenn, weil, daß*, or an indirect question introduced by *wer, was, warum*, etc., the word order changes and the second part of the sentence begins with the verb form, i.e. the two verb forms come next to each other:

Wenn er Zeit *hat, ruft* er mich an.	If he has time, he rings me up.
Weil mein Auto kaputt *ist, muß* ich ein Taxi nehmen.	Because my car has broken down, I have to take a taxi.
Als ich aus dem Hause *ging, klingelte* das Telefon.	As I left the house the 'phone rang.
Warum er nicht gekommen *ist, weiß* ich nicht.	Why he didn't come I don't know.

als

- *als* at the beginning of a phrase means 'when, as' and follows the pattern of *daß, weil, wenn*, i.e. the verb form stands last. It is normally followed by the past tense used in writing. Unlike *wenn* it refers to something that happened on one occasion and therefore occurs frequently when telling a dramatic event:

Als der Dieb mich sah, lief er davon.	When the thief saw me he ran off.
Als wir nach Hause kamen, war die Polizei da.	When we got home the police were there.
Ich konnte nicht antworten, als er mich rief.	I couldn't answer when he called me.
Keiner sagte etwas, als er ins Zimmer kam.	Nobody said anything when he came into the room.

- *als* is used in the sense of 'than' when making comparisons:

Sie ist jünger als er.	She is younger than he.
Köln ist größer als Hannover.	Cologne is bigger than Hanover.

- *als* can also mean 'as' in the sense of 'in the capacity of'. Note that *ein* is omitted:

Er sucht eine Stelle als Empfangschef.	He is looking for a job as a receptionist.
Als Taxifahrer verdient er nicht viel.	As a taxidriver he doesn't earn much.

ein Pfund Tomaten . . . eine Flasche Wein

After words indicating quantity such as *das Pfund, das Paar, das Glas, das Stück, die Flasche, die Tasse, der Liter, die Schachtel*, 'of' is omitted:

Ein Pfund Tomaten kostet 60 Pfennig.	A pound of tomatoes costs 60 pfennigs.
Ich möchte eine Flasche Wein.	I'd like a bottle of wine.
Machen Sie mir eine Tasse Tee bitte.	Please make me a cup of tea.
Haben Sie eine Schachtel Zigaretten?	Have you a packet of cigarettes?

But when you say that you want some of this or that wine, vegetable, etc., *von + dem/diesem*, etc. are used:

Ich möchte eine Flasche von dem Wein hier.	I'd like a bottle of this wine.
Geben Sie mir ein Pfund von diesen Tomaten.	Give me a pound of these tomatoes.

Note that *das Pfund, das Paar, das Gramm, das Stück, das Glas* do not change when you say what quantity you want:

Ich habe *vier Pfund* Tomaten gekauft.	I bought four pounds of tomatoes.
Bestellen Sie *drei Glas* Wein.	Order three glasses of wine.
Geben Sie mir *zwei Paar* Würste.	Give me two pairs of sausages.
Wieviel *Stück* Kuchen möchten Sie?	How many pieces of cake would you like?

But *die Flasche, die Tasse, die Schachtel* do change:

Ich habe *zwei Tassen* Tee getrunken.	I drank two cups of tea.
Bestellen Sie *drei Flaschen* Wein.	Order three bottles of wine.
Wieviele *Schachteln* Zigaretten wollen Sie?	How many packets of cigarettes do you want?

womit . . . wofür

womit (what with), *wofür* (what for), etc. are used when enquiring about things in the same pattern as *damit, dafür*, etc. (see page 27):

Womit haben Sie die Haare gewaschen?	What (i.e. shampoo) did you wash your hair with?
Wofür brauchen Sie so viel Geld?	What (i.e. purchase) do you need so much money for?

Similarly: *wovon, wozu, wonach, worin, worauf, woraus.*

Note: *mit, für, usw.* + *was* are not considered good German.

when to use sehen, aussehen *and* nachsehen

sehen means 'to be able to see':

Ich sehe sehr gut.	I can see very well.
Sehen Sie mein Auto?	Can you see my car?

In casual conversation *sehen Sie, sieh,* etc. are used in the sense of 'look':

Sehen Sie, dort steht es.	Look, there it is.
Sieh mal, wie schön.	Look, how lovely.

aussehen implies 'having the appearance of':

Sie sieht gut aus.	She looks well.
Ihr Auto sieht schön aus.	Your car looks nice.

nachsehen means 'to look up' or 'check something':

Ich will gleich mal nachsehen.	I'll have a look straight away (to check up).
Bitte sehen Sie das Auto nach.	Please have a look at the car (to check if it's all right).

Note: In southern Germany *schauen* is widely used instead of *sehen*:

Schauen Sie mal, wie schön.	Just look how lovely.
Sie schaut gut aus.	She looks well.
Ich schau' gleich mal nach.	I'll have a look straight away.

Übungen

a) Re-write the sentences beginning with the words in italics:

1. Keiner hat mir gesagt, *daß* er heute nicht zu Hause ist. *[handwritten: Daß er heute nicht zu Hause ist, hat mir keiner gesagt.]*
2. Sie verreist dieses Jahr nicht, *weil* sie kein Geld hat. *[handwritten: Weil sie kein Geld hat, verreist sie dieses Jahr nicht.]*
3. Ich verstehe nicht, *warum* er nicht geschrieben hat. *[handwritten: Warum er nicht geschrieben hat, verstehe ich nicht.]*
4. Wir gehen ins Reisebüro, *wenn* wir in der Stadt sind. *[handwritten: Wenn wir in der Stadt sind, gehen wir ins Reisebüro.]*
5. Ich möchte gern wissen, *wie* alt seine Freundin ist. *[handwritten: Wie alt seine Freundin ist, möchte ich gern wissen.]*

b) Re-write the story by joining each pair of sentences with *als*. (e.g. Es war fünf Uhr. Er rief mich an. → Als es fünf Uhr war, rief er mich an.):

Es war ein Uhr. Ich ging in die Stadt. — Ich stand vor dem Restaurant. Er war noch nicht da. — Er kam zehn Minuten später. Er war nicht allein. — Ich sah, daß er mit einer Dame kam. Ich wollte davonlaufen. — Ich versuchte, in das Geschäft nebenan zu gehen. Es war zu spät. Die Dame sah mich. Sie lächelte. — Sie lächelte. Ich erkannte sie sofort. — Ich wußte, daß es seine Schwester war. Ich war glücklich.

[handwritten: Als es ein Uhr war, ging ich in die Stadt. Als ich vor dem Restaurant stand, war er noch nicht da. Als er zehn Minuten später kam, war er nicht allein. Als ich sah, daß er mit einer Dame kam, wollte ich davonlaufen. Als ich versuchte, in das Geschäft nebenan zu gehen, war es zu spät. Als die Dame mich sah, lächelte. Erkannte ich sie sofort. Als ich wußte, daß es seine Schwester war, war ich glücklich.]

c) Answer these questions about the scene:

1. Wo will Klaus heute abend essen? *[handwritten: Er will heute abend zu Hause essen]*
2. In was für einem Geschäft kauft er ein? *[handwritten: Er kauft im Feinkostgeschäft]*
3. Was kauft er für sich ein? ....
4. Was kauft er für sich und seine Freundin ein? ....
5. Wieviel kostet alles zusammen? ....
6. Wann schmeckt das beste Essen nicht? ....

Rätsel

These syllables will help you form the missing words below. The third letters reading down will tell you what Klaus is very fond of eating:

ab – ar – bei – den – der – din – dung – es – fein – fisch – freun – ge – ge – hen – hen – je – kost – kühl – las – leh – pe – re – rer – schäft – se – sen – sig – ski – ste – strei – sup – te – ten – tet – tief – ver – wie

1. Das letzte Mal hat Ursula Klaus auf der Straße —— . ...
2. Ursula glaubt, er hat eine —— mit Barbara. ....
3. Klaus sagt Ursula, daß man sich nicht in —— —— verliebt. ....
4. Barbara —— jetzt bei der Redaktion einer Zeitung. ....
5. Klaus will allein essen, weil seine —— verreist ist. ....
6. Als Vorspeise kauft er —— —— . ...
7. Wenn man ißt, soll man sich nicht —— . ...
8. Das —— mit Ursula war eine Überraschung. ....
9. Klaus hat im —— eingekauft. ....
10. Er hat Öl gekauft, aber keinen —— . ...

15 Herr Müller mietet ein Auto

Zwei Autos sind zusammengestoßen

in der Autowerkstatt Dehmer

Herr Müller: Guten Tag. Hier bringe ich Frau Benders Auto zur Reparatur.

Herr Dehmer: So? Wir haben aber im Moment zu viel zu tun, um es sofort zu reparieren. Der Wagen sieht ja schön aus.

Herr Müller: Aber als ich gestern anrief, sagte man mir, daß ich ihn heute bringen kann.

5 *Herr Dehmer:* Ach so. Dann ist es etwas anderes. Was hat Frau Bender denn damit gemacht?

Herr Müller: Sie hat einen kleinen Unfall gehabt. Als sie in die Oper wollte, hatte sie es eilig und fuhr zu schnell. An einer Kreuzung hat sie nicht gleich bremsen können und ist mit einem LKW zusammengestoßen.

Herr Dehmer: Man kann nie genug aufpassen. Ist ihr etwas passiert?

10 *Herr Müller:* Gott sei Dank nicht ihr, sondern nur ihrem Wagen. Wird die Reparatur lange dauern?

Herr Dehmer: Mal sehen. Der Wagen muß einen neuen Kotflügel haben – eine neue Motorhaube, eine neue Stoßstange, neue Lichter. Dann müssen wir ihn lackieren lassen. Wenn wir das alles reparieren sollen, dauert es ungefähr eine Woche.

15 *Herr Müller:* Dann werde ich einen Wagen bei Ihnen mieten müssen. Denn ohne Wagen kann Frau Bender ja nicht sein.

Herr Dehmer: Gut. Wollen Sie bitte mal sehen. Ich habe hier einen kleinen PKW, fast neu und sehr leicht zu parken. Jeder kann ihn fahren.

Herr Müller: Frau Bender braucht ja kein großes Auto, sondern nur eins, um schnell in die
20 Stadt zu kommen.

Herr Dehmer: Der Wagen kostet zehn Mark pro Tag und zwanzig Pfennig für jeden Kilometer. Sie können ihn sofort haben.

Herr Müller: Gut. Wieviel Liter Benzin sind drin?

Herr Dehmer: Ich werde ihn volltanken lassen und gebe Ihnen gleich die nötigen Papiere.
25 Wollen Sie das Formular hier bitte ausfüllen und unterschreiben? Hoffentlich wird Frau Bender etwas vorsichtiger damit fahren als mit ihrem Wagen.

Herr Müller: Ich glaube schon. Aber Sie wissen ja, wenn Frauen Auto fahren, kann leicht etwas passieren . . .

* * *

auf der Straße

Herr Müller: Können Sie denn nicht aufpassen?

30 *Autofahrer:* Warum haben Sie denn nicht aufpassen können? Wozu haben Sie Augen im Kopf? Wenn Sie nicht Auto fahren können, gehen Sie doch lieber zu Fuß!

Herr Müller: Warum haben Sie plötzlich auf der Kreuzung gehalten?

Autofahrer: Wozu haben Sie denn versucht, mich zu überholen? Ich wollte nach links abbiegen. Haben Sie mein Zeichen nicht gesehen?

Herr Müller: Ich habe nichts gesehen. Ihr Blinklicht muß kaputt sein.
Autofahrer: Auf jeden Fall ist es Ihre Schuld, denn Sie sind zu schnell gefahren.
Herr Müller: Was glauben Sie denn! Ich bin nicht zu schnell gefahren. Sie haben zu plötzlich gebremst. Geben Sie mir die Adresse Ihrer Versicherung.
5 Autofahrer: Auf keinen Fall. Ich rufe die Polizei.

* * *

Polizist: Sind Sie der Fahrer dieses Wagens?
Herr Müller: Ja. Dieser Herr wollte . . .
Polizist: Einen Moment. Und Sie? Gehört der Wagen Ihnen?
Autofahrer: Nein. Er gehört nicht mir, sondern einer Firma. Ich habe ihn gemietet. Hier sind
10 meine Papiere. Ich wollte nach links abbiegen, als dieser Herr mit hoher Geschwindigkeit plötzlich von hinten kam und . . .
Polizist: Eins nach dem andern. Und Sie? Haben Sie Ihre Papiere?
Herr Müller: Natürlich. Bitte schön. Der Wagen ist auch gemietet. Es ist ein Wagen der Firma Dehmer.
15 Autofahrer: Was Sie nicht sagen! Dieser Wagen ist auch von der Firma Dehmer.
Polizist: Herr Dehmer wird sich freuen! So, jetzt will ich mal den Fall aufnehmen, und dann wird es sich schon zeigen, wer die Schuld an dem Unfall hat . . .

* * *

Polizist: Also, meine Herren, ich sehe den Fall so: Sie, Herr Lundt, bremsten plötzlich auf der Kreuzung, denn Sie wollten nach links abbiegen. Herr Müller kam aus der
20 Nikolaistraße, versuchte zu bremsen, fuhr dann aber doch in Ihr Auto.
Autofahrer: Also war es Herrn Müllers Schuld.
Polizist: Bitte schön. Ich bin noch nicht fertig. Das Blinklicht Ihres Wagens, Herr Lundt, war nicht in Ordnung, und Sie haben zu plötzlich gebremst. Das ist auch verkehrswidrig. Sie, Herr Müller, fuhren zu schnell.
25 Herr Müller: Aber . . .
Polizist: Die Bremsspuren zeigen, daß Sie ungefähr 70 Kilometer gefahren sind. Die Herren haben noch Glück gehabt. Es ist Ihnen nichts passiert, sondern nur Ihre Wagen sind beschädigt. Sind Sie mit Verwarnungen von fünfzig Mark einverstanden? Wenn nicht, dann müssen wir den Fall . . .
30 Herr Müller: Ich bin einverstanden.
Autofahrer: Nun ja, ich auch.
Polizist: Gut. Dann bekomme ich fünfzig Mark von jedem von Ihnen. Danke schön. Hier sind Ihre Quittungen. Gute Fahrt, meine Herren, und einen schönen Gruß an Herrn Dehmer. Hoffentlich hat er noch zwei Leihwagen für Sie!

---

die Autowerkstatt(⸚en)	garage
die Reparatur(–en)	repair
reparieren (repariert)	to repair
der Wagen(–)	car
der Unfall(⸚e)	accident
die Kreuzung(–en)	cross-roads
bremsen (gebremst)	to brake
der LKW (short for Lastkraftwagen)	lorry
zusammen|stoßen (stößt zusammen, [stieß zusammen], ist zusammengestoßen)	to crash
auf|passen (aufgepaßt)	to be careful, pay attention
dauern (gedauert)	to take (time)
der Kotflügel(–)	wing

die Stoßstange(–n)	bumper
lackieren (lackiert)	to respray, paint
der PKW (*short for* ~~Pahkavehs~~ Personenkraftwagen)	private car
fast	nearly, almost
das Blinklicht(–er)	indicator light
der Fall(–e)	case
die Schuld	fault, guilt
die Versicherung(–en)	insurance
die Geschwindigkeit(–en)	speed
auf|nehmen (nimmt auf, [nahm auf], aufgenommen)	to take down (details), record
verkehrswidrig	contrary to traffic regulations
die Bremsspur(–en)	skid mark
beschädigt	damaged
die Verwarnung(–en)	fine (for traffic offence)
die Quittung(–en)	receipt
der Leihwagen(–)	hire car
pro Tag	per day
ich glaube schon	I should think so
auf jeden Fall	in any case
auf keinen Fall	under no circumstances
eins nach dem andern	one thing at a time
was Sie nicht sagen!	you don't say
einen Fall aufnehmen	to take down the details of a case
meine Herren!	gentlemen!
Sie sind 70 Kilometer gefahren	you were doing (driving at a speed of) 70 kilometres

Wenn Sie ein Auto mieten

The cost of hiring a car is usually calculated on the basis of a certain price per day (*Grundgebühr*) and the number of kilometres driven. Petrol has to be paid for by the customer. The cars are fully insured (*vollkaskoversichert*). By law the driver of any car whether hired or not, has to have his driving licence (*Führerschein*) and the relevant car papers (*Kraftfahrzeugpapiere*) with him. In the case of a hired car, the driver must also have the contract (*Mietvertrag*) on him to prove that it has not been stolen. None of these documents should ever be left in the car, as insurance companies will not pay damages for theft unless these papers can be produced.

Wichtige Verkehrszeichen (Some of these traffic signs are gradually being replaced by new ones).

Vorfahrtstraße   *Parkverbot*   *Parkplatz*

Some polite expressions

thank you	please	sorry
danke	bitte	entschuldigen Sie

entschuldigen Sie mich
  (said when leaving
  table, party, etc.)

danke schön ⎫
danke sehr ⎬ more emphatic
danke vielmals ⎪
vielen Dank ⎭

bitte schön ⎫ more
bitte sehr ⎬ emphatic

darf ich bitten? ⎫ more
ich möchte Sie bitten ⎬ formal

Verzeihung!
  (more emphatic)

besten Dank ⎫ often
herzlichen Dank ⎬ preferred
  ⎭ in letters

(es) tut mir leid
  (expresses regret)

bitte schön, or *bitte sehr* are often a polite way of inviting someone to take something, sit down, look round a shop, go first through a door, etc. The response to this is *danke schön* or *danke sehr*. If, on the other hand, someone thanks you with *danke schön* or *danke sehr*, the reply should be *bitte schön* or *bitte sehr*, meaning 'don't mention it'.

Wiederholungsübungen

a) Re-write the story as though it were a dramatic event: *Change to imperfect*

Ich bin mit dem Wagen meines Freundes aus der Stadt gefahren. Plötzlich habe ich gesehen, daß das Benzin fast alle war. Ich habe nicht gewußt, wo die nächste Tankstelle war. Ich habe keine sehen können. Ich bin noch einen Kilometer weitergefahren, aber dann habe ich halten müssen. Ich habe Glück gehabt, denn in diesem Moment ist ein Polizeiwagen gekommen und hat gehalten. Die Polizisten waren sehr nett und haben mir sofort geholfen.

Ich ....

....

....

....

....

....

(Haben Sie einen Fehler gemacht? Dann sehen Sie bitte auf Seite 82, 138 und 139 nach.)

b) Re-write each sentence beginning with the second part (e.g. Es war schon spät, als wir ankamen. ⟶ Als wir ankamen, war es schon spät.):

1. Sie war sehr glücklich, als ich sie letzte Woche sah. ....

2. Jeder weiß, wer ihr Freund ist. ....

3. Sie ärgern sich, weil ich sie nicht einlade. ....

4. Ich kann mir nicht vorstellen, was passiert ist. ....

5. Er hat uns nicht erzählt, daß er einen Unfall gehabt hat. ....

6. Wir gehen zur Firma Dehmer, wenn wir einen Wagen brauchen. ....

7. Er kann nicht verstehen, daß der Wagen noch nicht kaputt ist. ....

8. Der Chef wollte wissen, warum Sie nicht im Büro waren. ....

(Haben Sie einen Fehler gemacht? Dann sehen Sie bitte auf Seite 87 nach.)

c) Complete the sentences according to the pictures, write down the prices (given per item by each picture), then work out the total, writing it out in full:

1. `DM 1,15` Ich möchte ....

2. `DM 0,45` Geben Sie mir ....

3. `DM 0,50` Bestell uns ....

4. `DM 0,70` Bringen Sie uns ....

5. `DM 4,75` Besorgen Sie ....

6. `DM 1,–` Ich brauche ....

Das macht zusammen ....

(Haben Sie einen Fehler gemacht? Dann sehen Sie bitte auf Seite 87 nach.)

d) Ask the correct question to fit the words in italics (e.g. Er kommt *um sieben*. → *Wann* kommt er?)

1. .... Wir fahren *morgen früh* in die Schweiz.

2. .... Ich möchte *40 Liter* Benzin.

3. .... Das ist genug *für die Fahrt in die Berge*.

4. .... Er will lieber *mit dem Auto* fahren.

5. .... Er hat *einen kleinen* Wagen gemietet.

6. .... *Der größere* Wagen hat ihm nicht gefallen.

7. .... Er will morgen *mit seiner Freundin* verreisen.

8. .... Sie werden *drei Wochen* bleiben.

9. .... Wenn er zurück ist, will er *bei seiner Tante* wohnen.

10. .... Sie will *nach Köln*, um zu studieren.

11. .... Sie können noch nicht heiraten, *weil er nicht genug verdient*.

12. .... Mein Mann hat *seine Kollegen* zum Essen eingeladen.

Rätsel

Herr Müller wollte mit dem Leihwagen der Firma Dehmer nach Hause fahren und ihn nach dem Essen zu Frau Bender bringen. Herr Müller wohnt in der Rittergasse. Die Firma Dehmer ist in der Königstraße. Er fährt also zuerst durch die Königstraße, dann rechts um die Nikolaikirche, und dann in die Nikolaistraße. In welche Straße wollte Herr Lundt abbiegen? ....

....

(Lesen Sie bitte noch einmal die Szene und sehen Sie auf dem Stadtplan von Ansburg auf Seite 57 nach.)

Kreuzworträtsel

ß is written ss

waagerecht

1. Sie haben mein Auto beschädigt. Ich möchte die Adresse Ihrer —— .
9. Ist die Dame nicht blond? Nein, sie hat —— —— .
10. Ein großes Auto ist zu —— .
11. Kommt er ohne sein Auto? Ja, er kommt —— —— .
12. Der Fotograf wollte sie doch fotografieren. Warum hat er alles —— —— ?
13. Guten —— !
15. Wir waren —— Juni in der Schweiz.
16. Ich will zuerst —— Autowerkstatt fahren.
19. Vorsichtig! Wir wollen doch nicht mit einem Auto —— .
20. Er hat ein großes Haus gekauft. Er hat —— —— .
21. —— Fräulein Koch.
25. Sie haben's immer —— .
27. —— —— —— im Winter.
28. Zum Frühstück essen wir —— .
29. Der Empfangschef hat sie noch nicht —— gesehen.

senkrecht

1. Ich glaube, er will sie heiraten. Sie sind so gut wie —— .
2. —— Sie mal, wer am Apparat ist.
3. Gib ihm Geld! Nein, —— —— —— keins.
4. Kurzes —— steht ihr gut.
5. Rief er euch denn? Ja, plötzlich —— —— —— .
6. Der Herr gibt Ihnen die —— Auskunft.
7. Was für eine Frisur will sie? Etwas —— .
8. (see 24 down)
14. Wo ist das Gepäck? Wohin haben Sie es —— ?
17. In wen ist Klaus —— ?
18. Ich miete das Auto bei der Firma Dehmer. Und Sie? —— —— Sie es?
19. Vier Pfund Tomaten sind —— für eine Person.
22. —— ! Das haben Sie gut gemacht.
23. Kommt, —— euch.
24. mit 8 senkrecht: Können Sie —— —— wie sie heißt?
26. Sie hat es —— nicht so gemeint.

16 Erika hat Handwerker

Er tut die Post in den Briefkasten hinein *Er bringt die Post zu uns herauf*

in der Wohnung

Erika: Punkt sieben Uhr. Der Maler ist wirklich pünktlich. Guten Morgen.

Maler: Guten Morgen, Fräulein Koch. Komme ich zu früh?

Erika: Aber nein. Kommen Sie nur herein. Wo wollen Sie anfangen?

Maler: Ich glaube, ich fange am besten im Wohnzimmer an, denn die Küche soll
5 ich doch zum Schluß malen.

Erika: Ja. Sie können gleich hineingehen. Die kleinen Möbel habe ich schon aus
dem Zimmer gestellt, aber für die großen brauche ich Ihre Hilfe.

Maler: Selbstverständlich. Wohin soll ich sie tun?

Erika: Am besten in die Küche. Dort stören sie keinen. Soll ich Ihnen helfen, das
10 Sofa hinauszuschieben?

Maler: Danke. Das kann ich allein machen.

Erika: Aber stellen Sie ja nichts vor den Kühlschrank, denn da ist das Bier drin.

Maler: Keine Angst! Vor einen Kühlschrank stelle ich nie Möbel! Übrigens, was
für Farbe sollen die Wände haben? Ein helles Grau, nicht wahr?

15 Erika: Ja, bitte.

Maler: Und dazu ein helles Gelb für die Türen. Das sieht am schönsten aus.

Erika: Nein, nehmen Sie lieber weiß. Das paßt besser zu grau.

Maler: Ja, das ist auch schön . . .

Erika: Wer hat denn jetzt geklingelt? Ah, der Briefträger. Guten Morgen. Na, Sie
20 bringen ja heute die ganze Post zu mir herauf.

Briefträger: Ja, Fräulein Koch. Sehen Sie mal, wieviele Briefe es sind. Sie gehen nicht
alle in den Briefkasten hinein. Haben Sie Geburtstag?

Erika: Nein, aber ich werde mich morgen verloben. Das sind sicher die ersten
Glückwünsche.

25 Briefträger: Da wünsche ich Ihnen alles Gute.

Erika: Danke. Ich will gleich mal sehen, wer uns schreibt . . . Ach, es klingelt
schon wieder einer. Da kann man ja verrückt werden.

Elektriker: Guten Morgen. Ich komme, um die Steckdose zu reparieren.

Erika: Was? Sie sind der Elektriker? Aber ich habe Sie doch für heute nachmittag
30 um Viertel nach drei bestellt. Jetzt ist es zehn nach sieben.

Elektriker: Man tut, was man kann. Wenn Sie mich jetzt nicht brauchen können, kann
ich vor nächster Woche nicht wiederkommen.

Erika: Nein, dann bleiben Sie lieber. Die Steckdose ist hier in der Küche. Dort
hinten in der Ecke. Gehen Sie ruhig hinein.

35 Elektriker: Aber wie soll ich denn da arbeiten? Die ganze Küche ist voll mit Möbeln
und Bildern. Da muß ich ja über das Sofa klettern.

Erika:	Ja, wohin sollen wir denn das Sofa stellen? Im Wohnzimmer ist der Maler. Im Schlafzimmer ist kein Platz. Das Badezimmer ist zu klein. Ach, ich weiß. Wir stellen alles in den Gang. Der Maler wird uns sicher helfen, das Sofa und die anderen Möbel hinauszustellen.
Maler:	Hoffentlich erwarten Sie nicht noch mehr Leute.
Erika:	Nein, sicher nicht. Das heißt, vielleicht doch. Der Telefontechniker war für gestern bestellt, aber gestern ist er nicht gekommen . . .
Maler:	Dann wird er heute auch nicht kommen. Wir stellen den Tisch dahin, die Stühle neben den Tisch, die Bilder legen wir auf den Tisch . . .
Erika:	Oh, du lieber Himmel. Das wird er sein.
Telefontechniker:	Guten Morgen. Ich komme von der Post und soll das Telefon reparieren. Gestern ging es leider nicht. Da habe ich gedacht, wenn ich heute ganz früh komme, sind Sie sicher noch zu Hause. Darf ich hereinkommen?
Erika:	Das ist leichter gesagt als getan, denn der Gang steht voll mit Möbeln.
Telefontechniker:	Wir schieben sie am besten vor die Tür hier.
Erika:	Nein, um Himmels willen. Das ist die Wohnzimmertür. Im Wohnzimmer arbeitet der Maler. Dann kann er ja nicht mehr aus dem Zimmer heraus.
Telefontechniker:	Das macht nichts. Ich brauch' nicht länger als eine Viertelstunde. Wo ist denn Ihr Telefon?
Erika:	Im Wohnzimmer!
Telefontechniker:	Das ist natürlich etwas anderes. Dann schieben wir die Sachen dahin, vor die Wohnungstür.
Erika:	Gut. Dort stören Sie keinen Menschen. So, möchten die Herren jetzt etwas frühstücken? Ein Bier und eine Kleinigkeit zu essen?
Alle:	Sehr schön.
Erika:	Ich bereite alles gleich vor . . . Da kommt schon wieder einer. Am besten mache ich die Tür gar nicht auf.
Telefontechniker:	Vielleicht haben Sie doch noch einen Handwerker bestellt. Soll ich an die Tür gehen?
Erika:	Ja, bitte, gehen Sie hin, aber lassen Sie ja keinen herein. Sagen Sie, ich habe jetzt keine Zeit.
Telefontechniker:	Guten Morgen. Sie wünschen?
Jürgen:	Bitte, lassen Sie mich doch hinein!
Telefontechniker:	Entschuldigen Sie, das geht nicht.
Jürgen:	Was soll das heißen?
Telefontechniker:	Die Dame hat jetzt keine Zeit.
Jürgen:	Wer sind Sie denn? Was machen Sie denn in der Wohnung meiner Braut?
Telefontechniker:	Ihre Braut? . . . Ich repariere . . . ich bin . . .
Jürgen:	Erika! Erika!
Erika:	Jürgen! Ich habe dich gar nicht erwartet.
Jürgen:	Was ist denn hier los? Ein fremder Mann macht die Tür auf. Hast du nicht gesagt, daß du heute die Wohnung malen läßt? Das war doch nicht der Maler.
Erika:	Ach, Liebling. Ich hab' nicht nur einen Maler in der Wohnung, sondern auch einen Elektriker und einen Telefontechniker. Jetzt fehlt nur noch der Gasmann! Ich freue mich, daß du hergekommen bist. Jetzt mache ich schnell das Frühstück für die Männer. Da kannst du auch etwas essen und trinken . . . Oh je, der Gasmann! . . .
Briefträger:	Ein Telegramm für Sie, Fräulein Koch, ein Glückwunschtelegramm.
Erika:	Danke schön . . . Jürgen, es war der Briefträger. Unser erstes Telegramm. Mach's auf!
Jürgen:	„Liebe Kinder, macht euch keine Sorgen. Morgen kommt eine Überraschung. Tante Anna." Das versteh' ich nicht.

97

G

der Handwerker(–)	workman
die Wohnung(–en)	flat
der Punkt(–e)	dot, point
der Maler(–)	painter
das Wohnzimmer(–)	drawing-room
malen (gemalt)	to paint
hinein . . .	in, into
die Möbel (*pl.*)	furniture
das Sofa(–s)	settee
hinaus . . .	out, outside
der Kühlschrank(–e)	refrigerator
die Wand(–e)	wall
grau	grey
gelb	yellow
herauf . . .	up(stairs)
der Geburtstag(–e)	birthday
sich verloben (verlobt)	to get engaged
der Glückwunsch(–e)	congratulations, good wishes
der Elektriker(–)	electrician
die Steckdose(–n)	socket
klettern (ist geklettert)	to climb
das Schlafzimmer(–)	bedroom
der Telefontechniker(–)	post-office engineer
dahin	there
heraus . . .	out, outside
hin . . .	there
die Braut(–e)	fiancée, bride
der Liebling(–e)	darling
fehlen (gefehlt)	to be missing, lacking
her . . .	here
Punkt . . .	on the dot . . .
haben Sie Geburtstag?	is it your birthday?
alles Gute!	all the best
es klingelt	there's someone ringing
da kann man ja verrückt werden	it's enough to drive you crazy
man tut, was man kann	one does one's best
gehen Sie ruhig hinein	do go in, don't hesitate to go in
du lieber Himmel!	good heavens
gestern ging es nicht	I couldn't make it yesterday
um Himmels willen	for heaven's sake
er kann nicht heraus	he can't get out
es fehlt nur noch . . .	all we need now is . . .
sich Sorgen machen	to worry

Die Handwerker

In Germany workmen, like building workers, skilled and unskilled labourers, start at 7 or 8 a.m. and finish work at 4 or 5 p.m. In winter during the hours of darkness road works and work on building sites is carried on with the help of arc lights. It is often difficult to get workmen to do repairs or decorating work, and as a result, do-it-yourself has become the fashion. Many workshops even hold courses for housewives in plumbing, wall-papering, painting, and similar skills.

hin . . .her

hin (there) and *her* (here) are added to verbs which express movement or imply direction; *hin* indicates movement away from the speaker towards some object or person, *her* expresses movement towards the speaker:

hin	gehen	to go (there)	her	kommen	to come (here)
hin	fahren	to drive, go (there)	her	fahren	to drive, come (here)
hin	bringen	to take (there)	her	bringen	to bring (here)

These newly-formed verbs separate into two parts like *aufmachen*, *einkaufen*, etc. (see pages 16 and 51):

Gehen Sie nicht hin!	Don't go there.
Warum sind Sie nicht hingegangen?	Why didn't you go there?
Bitte komm mal her!	Please come here.
Sagen Sie ihm, er soll herkommen.	Tell him to come here.

In the same way *hinein* (in, into), *hinaus* (out, outside), *hinauf* (up, upstairs) are added to verbs to express movement away from the speaker, *herein* (in, into), *heraus* (out, outside), *herauf* (up, upstairs) indicate movement towards the speaker. They are also used to indicate direction out of or into an enclosed room or area:

Gehen Sie hinein!   Go in.

Kommen Sie herein!   Come in.

Gehen Sie hinaus!   Go out.

Kommen Sie heraus.   Come out.

Wollen Sie ins Zimmer hineingehen?	Would you like to go into the room?
Lassen Sie uns hinausgehen!	Let us go outside.
Er fährt aus der Tankstelle heraus.	He's driving out of the petrol station.
Bitte kommen Sie herein!	Please come in.
Darf ich hereinkommen?	May I come in?

Note: *hereinkommen* is used for 'to come in' whether it is towards or away from the speaker.

hin and *her* are also added to *hier*, *da*, *dort* and *wo* to indicate direction:

Kommen Sie hierher!	Come here. (i.e. to this spot)
Stellen Sie die Möbel dorthin!	Put the furniture there. (i.e. move it over there)
Wir setzen uns dahin.	We'll sit down here. (i.e. go and sit there)
Wohin wollen Sie?	Where do you want to go to?
Woher kommen Sie?	Where do you come from?

am schönsten . . . am besten

To express that something is done to the highest degree, the form *am* . . . *sten* of the adjective is used. This form is only used with verbs and does not change (see also page 52):

Diese Farbe ist *schön*.	This colour is nice.
Diese ist noch *schöner*.	That one is nicer.
Diese ist *am schönsten*.	That one is the nicest.

Ich kann ganz *gut* kochen.	I can cook quite well.
Meine Freundin kann *besser* kochen.	My girl friend can cook better.
Meine Mutter kann *am besten* kochen.	My mother can cook best of all.

Note: gern → lieber → am liebsten   viel → mehr → am meisten

Sie geht *gern* ins Kino.	She likes to go to the cinema.
Er bleibt *lieber* zu Hause.	He prefers to stay at home.
Ich lese *am liebsten*.	I like to read best of all.
Er verdient *viel*.	He earns a lot.
Der Empfangschef verdient *mehr*.	The receptionist earns more.
Der Direktor verdient *am meisten*.	The director earns most of all.

es ist sieben . . . zehn nach sieben

es ist sieben (Uhr)	it is 7 o'clock
Viertel nach sieben	a quarter past 7
halb *acht*	half past 7
Viertel vor acht	a quarter to 8

So many minutes to or past the hour or half hour are indicated like this:

zehn vor sieben	ten to 7	zehn nach sieben	ten past 7
zwanzig vor sieben	twenty to 7	zwanzig nach sieben	twenty past 7
fünf vor halb acht	twenty-five past 7	fünf nach halb acht	twenty-five to 8

To indicate a.m. and p.m., *morgens, vormittags, mittags, nachmittags, abends, nachts* are added:

sechs Uhr morgens	6.00 a.m.	vier Uhr nachmitttags	4.00 p.m.
elf Uhr vormittags	11.00 a.m.	sieben Uhr abends	7.00 p.m.
ein Uhr mittags	1.00 p.m.	zwei Uhr nachts	2.00 a.m.

Times of trains, buses, etc. and official starting and finishing times are given by the 24-hour clock:

sechs Uhr dreißig	6.30	einundzwanzig Uhr zwanzig	21.20
dreizehn Uhr fünf	13.05	vierundzwanzig Uhr	24.00

In expressions of time, *vor* (before, ago) and *in* (within, during) are followed by *dem/einem*, etc.:

vor nächster Woche	before next week	in einer halben Stunde	in half an hour's time
vor einem Jahr	a year ago	in den letzten Tagen	during the past few days

when to use hier, da *and* dort

hier means 'here' in the sense of 'situated or standing in this spot':

Hier steht unser Haus.	Here is our house.
Ich bin hier im Zimmer.	I am here in the room.
Der Briefkasten ist gleich hier.	The letter-box is right here.

da means 'here' or 'there' in the general sense of being available or around:

Ist der Chef da?	Is the boss in (i.e. in the office)?
Da kommt unser Taxi.	There is our taxi (coming).
Da liegt etwas auf dem Tisch.	There is something lying on the table.

It can also mean 'then, at that moment, in that case':

Es war vier Uhr. Da kam er endlich.	It was four o'clock. Then he came at last.
Er ist verreist. Da kann ich ihn nicht fragen.	He's away. Then I can't ask him.

dort means 'there' in the sense of 'situated over there':

Dort steht mein Auto.	My car is standing there (over there).
Ich war noch nicht dort.	I haven't been there yet.

Note: *hierher, dahin, dorthin*, etc. are used when a thing or person is moving towards or away from the speaker (see page 99).

Übungen

a) Complete the comparison by putting in the *am . . . sten* forms as appropriate:

1. Das Auto fährt schneller als die Straßenbahn. Aber der Zug fährt.................

2. Dieser Hut ist schön, dieser ist noch schöner, und dieser ist...............

3. Er ißt gern Bratwürste, sie ißt lieber Königinpastete, aber Wiener Schnitzel esse ich...............

....

4. Ich fahre gut Ski, mein Freund fährt besser, der Skilehrer fährt..................

5. Er arbeitet mehr als ich, aber sein Chef arbeitet..................

b) Insert *hin* or *her* as appropriate:

1. Ich brauche den Koffer. Bringen Sie ihn bitte sofort — . ...

2. Sie gehen in die Stadt. Wollen Sie —fahren oder —laufen? ....

3. Ich warte auf ihn hier im Büro. Er soll bitte gleich —kommen. ....

4. Unsere Freunde sind in Innsbruck. Wollen wir auch —fahren? ....

5. Nehmen Sie das Gepäck bitte und stellen Sie es dort—. ....

6. Kommen Sie — und setzen Sie sich hier— an den Tisch. ....

c) Insert the correct word:

1. Dort ist mein Zimmer. Gehen Sie ....! (hinein/herein)

2. Ich mache das Fenster auf und sehe............... . (hinaus/heraus)

3. Ich freue mich, Sie zu sehen. Kommen Sie doch...............! (herein/hinein)

4. Kommen Sie zu uns in die Wohnung...............! (hinauf/herauf)

5. Als ich vorbeiging, kam er aus der Tür............... . (hinaus/heraus)

6. Fahren wir diesen Berg...............? (hinauf/herauf)

d) Adjust the times stated by adding or subtracting as indicated in brackets:

1. Punkt acht Uhr (+ zehn Minuten) ....

2. Viertel vor neun (+ eine Viertelstunde) ....

3. halb zwölf (– eine Viertelstunde) ....

4. zehn vor sieben (– eine Viertelstunde) ....

5. zehn vor neun (+ eine halbe Stunde) ....

6. zwanzig nach neun (+ zehn Minuten) ....

7. fünf vor halb eins (– zehn Minuten) ....

e) Check these statements about the scene. Tick the ones that are right and correct the others with complete sentences:

1. Um zehn nach sieben kommt der Telefontechniker. ....

2. Das Telefon steht im Wohnzimmer. ....

3. Der Maler will die Wände hellgelb malen. ....

4. Der Elektriker kommt, um den Kühlschrank zu reparieren. ....

5. Der Briefträger bringt ein Telegramm von Tante Anna. ....

6. Erika hat morgen Geburtstag. ....

17 Alles Gute zur Verlobung

in der Wohnung

Erika: Jürgen, beeil dich. In einer Stunde kommen die Gäste, und wir sind noch nicht fertig. Die Kerzen fehlen noch. Wo sind sie denn?

Jürgen: Ich bringe sie gleich. Du hast sie hier in der Küche gelassen.

Erika: Und bring auch die Salzstangen.

5 Jürgen: Die hab' ich schon in der Hand.

Erika: Das Gebäck fehlt auch noch. Und die Brötchen. Wir werden nie fertig.

Jürgen: Immer langsam. Natürlich werden wir fertig. Ich hab' doch schon oft Partys gegeben.

Erika: Partys vielleicht, aber doch keine Verlobungsfeiern. Oder?

10 Jürgen: Nein, mein Schatz. Du glaubst wohl, ich verlobe mich jedes Jahr? So, die Kerzen müssen einen schönen Eindruck machen. Die stellen wir dorthin auf den Tisch. Und wohin kommen die Salzstangen?

Erika: Die stellen wir dahin.

Jürgen: Und das Gebäck?

15 Erika: Das kommt auch dahin.

Jürgen: Und die Brötchen?

Erika: Die lassen wir lieber noch in der Küche. Dann brauchen wir noch ein paar Gläser.

Jürgen: Weißt du, was noch wichtiger ist? Ein Gläschen Sekt für uns zwei, bevor die Gäste kommen.

20 Erika: Du hast recht. Wir müssen auf unsere Verlobung trinken.

Jürgen: Wir setzen uns gemütlich hin und wünschen uns alles Gute, und du sagst mir, daß du mich liebhast.

Erika: Ich wünschte, wir könnten bald heiraten.

Jürgen: Ja, das wäre schön. Aber du weißt doch, deine Eltern sind dagegen, daß wir
25 heiraten, bevor ich mit dem Studium fertig bin und Geld verdiene. Sonst können wir uns keine richtige Wohnung leisten.

Erika: Eine ganz kleine Wohnung wäre doch groß genug für uns zwei, meinst du nicht?

Jürgen: Doch. Aber wo kann man in Köln eine ganz kleine, billige Wohnung finden? In Ansburg ist das etwas anderes. Komm, laß uns schnell den Sekt aufmachen,
30 bevor deine Verwandten und Bekannten kommen. Ein Glück, daß meine Freunde und Verwandten in Köln sind. Sonst wären wir viel zu viele Leute. Wo ist denn der Sekt?

Erika: Den habe ich in den Kühlschrank getan.

Jürgen: Erika, im Kühlschrank ist ja nur die eine Flasche. Wohin hast du das Bier und den
35 Wein getan?

Erika: Das Bier und den Wein? Oh, Jürgen, ich wollte alles bestellen und hab's vergessen. Was machen wir jetzt?

Jürgen: Ich geh' schnell ins Gasthaus an der Ecke und kauf' ein paar Dutzend Flaschen.

Erika: Und Zigaretten haben wir auch nicht.

Jürgen: Du bist ja eine gute Hausfrau. Das fängt ja schön an. Tschüs! Ich werd' mich beeilen . . .

Erika: Wer telefoniert denn jetzt? Sicher meine Mutter, um mir zu sagen, daß sie etwas vergessen hat . . . Hallo. Hier Koch.

5 **Herr Müller:** Hallo, Fräulein Koch. Hier Müller. Ich habe gehört, heute ist Verlobung.

Erika: Wie nett, daß Sie anrufen. Wer hat es Ihnen denn erzählt?

Herr Müller: Ihr Chef. Ich wußte ja gar nichts davon. Ich wollte Ihnen und Ihrem Verlobten gratulieren und Ihnen alles Gute wünschen. Ich weiß noch, wie Sie sich in Hamburg kennengelernt haben. Wer hätte gedacht, daß Sie sich heiraten? Haben

10 Sie schon Pläne? Wann wollen Sie heiraten?

Erika: Am liebsten sofort.

Herr Müller: Fräulein Koch, als Ihr früherer Chef möchte ich Ihnen eine Kleinigkeit geben. Vielleicht können wir uns alle drei in den nächsten Tagen treffen?

Erika: Aber Herr Müller, kommen Sie doch heute abend zur Verlobungsfeier. Das wäre

15 so nett. Klaus kommt auch, und ein paar Bekannte.

Herr Müller: Das ist sehr lieb von Ihnen. Ich komme gern . . .

    *   *   *

Jürgen: So. Ich bin schon wieder zurück. War ich nicht schnell? Hoffentlich ist inzwischen keiner gekommen.

Erika: Nein, aber rat mal, wer angerufen hat.

20 **Jürgen:** Deine Eltern?

Erika: Nein, Herr Müller. Ich hab' ihn eingeladen.

Jürgen: Was? Wirklich? Mit oder ohne Frau Bender?

Erika: Ohne natürlich . . . Jürgen, du lieber Himmel! Es hat geklingelt. Tu schnell die Flaschen in den Kühlschrank. Da kommt unser erster Gast. Ich hab' mich noch

25 nicht umgezogen. Kannst du aufmachen? . . .

Tante Anna: Guten Tag, mein lieber Junge. Alles Gute.

Jürgen: Tante Anna!

Tante Anna: Du hast wohl geglaubt, deine alte Tante kommt nicht zur Verlobung.

Jürgen: Komm herein! Erika, sieh mal, wer da ist.

30 **Erika:** Tante Anna! Wie nett!

Tante Anna: Seid glücklich, Kinder. Ich freu' mich ja so, daß ihr euch heiratet.

Jürgen: Ich wünschte, es wäre schon so weit. Ich meine, ich wünschte, wir könnten bald heiraten, aber die Sache mit der Wohnung ist so schwierig.

Erika: Wenn ich denke, daß Jürgen in drei Wochen nach Köln zurück muß, und ich

35 allein hier sitze . . .

Tante Anna: Da kommt meine Überraschung ja gerade richtig.

Jürgen: Was für eine Überraschung?

Tante Anna: Habt ihr mein Telegramm denn nicht bekommen?

Jürgen: Doch. Vielen Dank, aber . . .

40 **Tante Anna:** Ich hab' euch geschrieben, daß ihr euch keine Sorgen machen sollt. Sieh mal, was in dem Umschlag ist! Ein kleines Geschenk. Sieh doch hinein.

Jürgen: Ein Mietvertrag für Herrn Jürgen Hoffman. Du gibst uns deine Wohnung, Tante Anna? Aber das geht doch nicht. Was willst du machen?

Tante Anna: Hör zu, Junge. Du weißt, meiner Schwester Marie geht es nicht sehr gut. Nun

45 hat sie mich gebeten, bei ihr zu wohnen und ihr ein bißchen mit der Arbeit zu helfen. Da hab' ich mir gedacht, ihr könnt in meine Wohnung einziehen.

Erika: Was für ein herrliches Geschenk! Jürgen, wir können gleich heiraten.

Jürgen: Tante Anna, du bist ein Schatz.

Tante Anna: Ich hab' nur eine Bedingung.

50 **Jürgen:** Was denn?

Tante Anna: Komm her, das kann ich dir nur ins Ohr sagen. Es muß bald ein kleiner Jürgen kommen. Auf wen soll ich denn sonst aufpassen?

die Verlobung(–en)	engagement
sich beeilen (beeilt)	to hurry up
die Kerze(–n)	candle
die Salzstange(–n)	salted stick
das Gebäck (*no pl.*)	biscuits
die Verlobungsfeier(–n)	engagement party
der Schatz (–̈e)	sweetheart, treasure
bevor	before
sich hin|setzen (hingesetzt)	to go and sit down
lieb|haben (liebgehabt)	to love, be fond of
die Eltern (*pl.*)	parents
dagegen	against it
das Studium	studies
sich (etwas) leisten (geleistet)	to afford something
der Verwandte(–n) (ein Verwandter)	relation
der Bekannte(–n) (ein Bekannter)	friend, acquaintance
das Dutzend(–e)	dozen
der Verlobte(–n) (ein Verlobter)	fiancé
der Junge(–n) (den/dem Jungen)	boy
der Umschlag(–̈e)	envelope
das Geschenk(–e)	present, gift
der Mietvertrag(–̈e)	lease
ein|ziehen ([zog ein], ist eingezogen)	to move in
die Bedingung(–en)	condition
das Ohr(–en)	ear

wir trinken auf (+ den)	we drink a toast to
ein Glück!	what luck!
das fängt ja schön an!	that's a fine beginning!
heute ist Verlobung	you're celebrating your engagement today
in den nächsten Tagen	during the next few days
sieh doch hinein!	look inside
ich wünschte, es wäre so weit	I wish we'd reached that stage
ins Ohr sagen	to whisper into someone's ear

Verlobung und Hochzeit

Engagements are usually announced to the family and close friends at a family party at Christmas or Easter, or a special party given for that purpose. Cards announcing the engagement are sent to all other relations and friends, and notices to that effect often appear in the papers. The engaged couple wear plain gold rings on the left hand, which are later worn on the right hand as wedding rings. It is customary for anyone invited to the engagement party to bring a useful gift.

Weddings are usually celebrated with great festivities. On the eve of the wedding the *Polterabend* is held. This is an informal party to which the engaged couple's friends bring old crockery and smash it in front of the bride's house or flat. The next day, the couple go to the registry office (*Standesamt*) for a civil marriage, and only after that can the church wedding take place.

Wir freuen uns über die Verlobung unserer Tochter Erika mit Herrn Jürgen Hoffmann, stud. med.

BERND KOCH
und FRAU SOPHIE
geb. Schlüter

435 Recklingshausen, Marienstraße 24.

Meine Verlobung mit Fräulein Erika Koch zeige ich an.

JÜRGEN HOFFMANN

5 Köln, Schlachthofstraße 16A.

104

wir/uns . . . ihr/euch . . . Sie/sich . . . sie/sich

The forms *uns, euch, sich* of verbs such as *sich kennen, sich treffen, sich sehen*, etc., do not only mean 'ourselves, yourselves, themselves', but are often used in the sense of 'each other, one another':

Wir kennen uns.	We know each other.
Habt ihr euch gesehen?	Did you see each other?
Sind Sie sich noch böse?	Are you still cross with one another?
Wo haben sie sich getroffen?	Where did they meet each other?

der Bekannte . . . ein Bekannter

Many adjectives can also be used as nouns:

Das ist der bekannte Theaterdirektor.	That is the well-known theatre director.
Das ist der Bekannte von meinem Bruder.	That is my brother's acquaintance.
Das ist die bekannte Sängerin.	That is the well-known (woman) singer.
Sie ist die Bekannte von meiner Schwester.	She is my sister's acquaintance.
Er ist ein sehr bekannter Dirigent.	He is a very well-known conductor.
Er ist ein Bekannter von mir.	He is a friend of mine.
Es ist eine bekannte Operette.	It's a well-known operetta.
Die Dame ist eine Bekannte von mir.	The lady is an acquaintance of mine.
Kennen Sie diesen bekannten Walzer?	Do you know this well-known waltz?
Kennen Sie meinen Bekannten?	Do you know my friend?

Nouns of this kind add endings like adjectives, e.g. *der Verlobte, der Verwandte, der Deutsche*:

Sie kam mit ihrem Verlobten.	She came with her fiancé.
Wir haben meine Verwandten getroffen.	We met our relations.
Sie hat einen Deutschen geheiratet.	She married a German.

Words of this type are indicated in the word lists like this: *der Verwandte(–n)* (*ein Verwandter*)

wäre . . . hätte . . . könnte

ich wäre *(would be)*	ich hätte *(would have)*	ich könnte *(could)*
du wär(e)st	du hättest	du könntest
er, sie, es wäre	er, sie, es hätte	er, sie, es könnte
wir wären	wir hätten	wir könnten
ihr wärt	ihr hättet	ihr könntet
Sie wären	Sie hätten	Sie könnten
sie wären	sie hätten	sie könnten

These forms are used to refer to something which you think may or may not happen, something which would be desirable, or something which is unreal. They also occur frequently in polite requests:

Das wäre schön.	That would be nice.
Vielleicht wären Sie morgen zu Hause?	Perhaps you would be at home tomorrow?
Das hätte ich nicht getan.	I wouldn't have done that.
Hätten Sie Zeit?	Would you have time?
Ohne dich könnte ich es nicht tun.	I couldn't do it without you.
Könnten Sie mir Feuer geben?	Could you give me a light?

Many of these sentences of 'wishful thinking' begin with *ich wünschte* (I wish), etc:

Ich wünschte, ich wäre jünger.	I wish I were younger.
Sie wünschte, er hätte sie gern.	She wishes he were fond of her.
Wir wünschten, wir könnten verreisen.	We wish we could go away.

der . . . die . . . das

In colloquial speech *der, die, das, den, dem*, etc. are often used without a noun to mean 'he, she, it, him', etc., when referring to the thing or person which is the subject of the conversation:

Dieser Mann fährt schnell. *Der* hat's eilig.	This man is driving fast. He's in a hurry.
Wie heißt die Oper? *Die* kenne ich nicht.	What's the opera called? I don't know it.
Wo ist Ihr Auto? *Das* steht auf dem Parkplatz.	Where is your car? It's standing in the car park.
Wie geht's seinem Bruder? *Den* habe ich lange nicht gesehen.	How is his brother? I haven't seen him for a long time.
Wo ist ihr Freund? Mit *dem* ist sie immer noch böse.	Where is her friend? She's still cross with him.

bevor

bevor (before) affects the word order in the same way as *daß, weil, wenn, als* (see page 87):

Er kommt nicht, bevor er unseren Brief *hat*.	He isn't coming before he has our letter.
Das Haus muß fertig sein, bevor wir *einziehen*.	The house must be ready before we move in.

when to use glauben, denken, meinen *and* finden

glauben means 'to believe something':

Ich glaube nicht, daß sie auf Urlaub ist.	I don't believe that she is on holiday.
Glaubst du wirklich, er heiratet sie?	Do you really think he's going to marry her?

denken conveys the idea of 'thinking or imagining something':

Ich denke, er hat's vergessen.	I imagine he has forgotten about it.
Denken Sie mal, was heute passiert ist.	Just think what happened today.

meinen implies 'having or expressing an opinion', or is used in the sense of 'to mean':

Was meinen Sie dazu?	What do you think about it? (i.e. what's your opinion)
Er meint, daß seine Frau wieder zurückkommt.	He thinks his wife is coming back. (i.e. in his view)
Was meint sie damit?	What does she mean by that?

In casual conversation, *glauben, denken, meinen* are often interchangeable:

Glauben/Denken/Meinen Sie, daß er kommt?	Do you think he is coming?
Ich glaube/denke/meine, es regnet bald wieder.	I think it's going to rain again soon.

finden (to find) can also mean 'to think' in the sense of 'to consider':

Ich finde es schrecklich.	I think it's dreadful.
Wie finden Sie die Idee?	What do you think of the idea?

Übungen

a) Add the appropriate endings:

1. Ich habe meine Verwandt—en eingeladen. ....
2. Er ist mit einer Deutsch—en verlobt. ....
3. Kennen Sie meinen Verlobt—en schon?
4. Dieser Herr ist ein Bekannt—er von mir.
5. Der Nächst—e, bitte.
6. Wir haben nur Deutsch—e getroffen. ....

b) Transform the questions into sentences of wishful thinking, starting with *Ich wünschte* . . .
(e.g. *Können* Sie kommen? → Ich wünschte, Sie *könnten* kommen.):

1. Können Sie mich abholen? *Ich wünschte, Sie könnten mich abholen* .
2. Haben Sie Zeit? *Ich wünschte, Sie hätten Zeit.*
3. Ist er wieder da? *Ich wünschte er wäre wieder da.*
4. Kann sie mir einen Gefallen tun? *Ich wünschte, sie könnte mir einen gefallen tun*
5. Ist das Wetter schön? *Ich wünschte, das Wetter wäre schön.*
6. Hat er geheiratet? *Ich wünschte er hätte geheiratet.*
7. Können wir noch Karten bekommen? *Ich wünschte wir könnten noch Karten bekomm*
8. Sind Sie morgen zu Hause? *Ich wünschte, Sie wären morgen zu Hause.*

c) Complete the sentences with the right form of *der, die, das*:

1. Wo ist das Bier? — steht im Kühlschrank. *Das*
2. Wer hat die Brötchen gegessen? — haben unsere Gäste gegessen. *Die*
3. Haben Sie meinen Mann gesehen? — haben wir zufällig auf der Straße getroffen. *Den* (by chance)
4. Ihr Auto sieht ja schön aus. Mit — sind wir durch Amerika gefahren. *dem*
5. Wer sind der Herr und die Dame? Ich weiß nicht. — sind gerade angekommen. *die*
6. Haben Sie den Autofahrer gesehen? — hat's eilig gehabt. *Der*

d) The word for 'each other' has been omitted. Put it in:

1. Was wollen wir — sagen? *uns*
2. Habt ihr — nicht erkannt? *euch*
3. Sie haben — gern, aber sie kennen — noch nicht gut. *sich* *sich*
4. Wir haben — jede Woche gesehen. *uns*
5. Meine Bekannten haben — in der Schweiz getroffen. *sich*
6. Als er und sie — sahen, waren sie sehr glücklich. *sich*

e) Answer these questions about the scene:

1. Wie nennt Jürgen seine Braut? *Er nennt seine Braut „mein Schatz".*
2. Was für eine Wohnung wünscht sie sich? *Sie wünscht sich eine ganz kleine Wohnung.*
3. Wo sind Jürgens Verwandte und Freunde? *sind in Köln*
4. Wen hat Erika zur Verlobungsfeier eingeladen? *sie hat Herrn Müller zur Verlobungsfeier eingeladen.*
5. Was wollen Jürgen und Erika trinken, bevor die Gäste kommen? *sie wollen sekt trinken*
6. Was für ein Geschenk hat Tante Anna für sie? *Tante Anna hat einen mietvertrag für sie.*
7. Wer ist dagegen, daß sie sofort heiraten? *Erikas eltern sind dagegen, daß sie sofort heiraten.*

107

18 Haus zu verkaufen

im Auto

Herr Müller: Nun, da sind wir, draußen im Grünen. Und wir sind nur zehn Kilometer von der Stadt weg.

Frau Bender: Es ist herrlich hier. Finden Sie nicht? Sehen Sie mal die schönen Bäume, die Gärten, und dort drüben ist ein kleiner Wald. Ich glaube, hier würde es mir
5 gefallen.

Herr Müller: Ja, es wäre ideal, hier ein Haus zu haben.

Frau Bender: Können Sie es schon sehen?

Herr Müller: Ich glaube, es ist das Haus mit den großen Lindenbäumen. Jawohl. Dort steht ein Schild „zu verkaufen".

10 *Frau Bender:* Wollen wir gleich hineingehen oder haben wir Zeit, uns die Gegend anzusehen?

Herr Müller: Ich würde Sie gern herumfahren, aber Herr Ziebland erwartet uns. Das ist sein Wagen, der vor dem Haus steht.

Frau Bender: Ach, schade. Es wäre viel schöner, das Haus ohne Herrn Ziebland anzusehen.

Herr Müller: Ja, Elisabeth.

15 *Frau Bender:* Der Häusermakler geht mir auf die Nerven. Ich kenne keinen Mann, der so viel redet und doch nichts zu sagen hat. Ich sehe mir gern ein Haus in Ruhe an.

Herr Müller: Elisabeth, wir können ihn trotzdem nicht warten lassen. Kommen Sie.

im Haus

Herr Ziebland: Also, Frau Bender, dieses ist nun das achte Haus, das ich Ihnen zeige. Ich hoffe sehr, daß es Ihren Wünschen entspricht. Ich glaube, es könnte das
20 Richtige für Sie sein.

Frau Bender: Warum haben Sie es uns dann nicht früher gezeigt?

Herr Ziebland: Gnädige Frau, dieses Haus ist nicht nur das schönste, sondern es ist auch das teuerste, das wir im Moment haben. Aber vielleicht wären Sie bereit, soviel Geld auszugeben. Es ist natürlich ein ideales Haus. Es wird nie seinen Wert
25 verlieren, denn es liegt in einer sehr eleganten und teuren Gegend, nicht weit von der Stadt, aber doch im Grünen, wie Sie sicher schon gesehen haben. Ich würde mich selbstverständlich freuen, wenn . . .

Frau Bender: Herr Ziebland, könnten Sie uns jetzt das ideale Haus zeigen?

Herr Ziebland: Selbstverständlich, gnädige Frau. Deshalb bin ich ja da. Wenn es Ihnen
30 gefällt, könnten Sie sofort einziehen. Alles ist in schönster Ordnung. Bitte, kommen Sie herein. Hier ist die Diele. Sehr groß, nicht wahr?

Frau Bender: Wir würden sie auf jeden Fall neu tapezieren lassen.

Herr Müller: Natürlich, Elisabeth.

Herr Ziebland: Hier ist dann das Wohnzimmer. Wunderbar groß und hell. Sehr geschmackvoll
35 tapeziert. Sehr geschmackvoll, nicht wahr?

Frau Bender:	Manfred, hier könnte man leicht einen Kamin einbauen lassen. Ich wünsche mir schon so lange einen Kamin.	
Herr Müller:	Das würde das Zimmer viel gemütlicher machen.	
Herr Ziebland:	Und nun kommen Sie bitte zur Terrasse und zum Garten. Sehen Sie mal.	

Frau Bender: Manfred, hier könnte man leicht einen Kamin einbauen lassen. Ich wünsche mir schon so lange einen Kamin.

Herr Müller: Das würde das Zimmer viel gemütlicher machen.

Herr Ziebland: Und nun kommen Sie bitte zur Terrasse und zum Garten. Sehen Sie mal. Können Sie sich etwas Schöneres vorstellen? Diese große Terrasse und die herrlichen alten Bäume. Dort wäre auch noch Platz für einen Swimmingpool.

Frau Bender: Wenn ein paar Blumen im Garten wären, würde es mir noch besser gefallen.

Herr Müller: Elisabeth, das ist eine Kleinigkeit. Da fehlen nur die roten Rosen.

Herr Ziebland: Herr Müller, Sie haben Geschmack. Darf ich Sie nun ins Frühstückszimmer bitten, das ruhigste und sonnigste Zimmer des ganzen Hauses.

Herr Müller: Gefällt es Ihnen, Elisabeth?

Frau Bender: Ja, das könnte mein Musikzimmer werden. Hier könnte ich endlich in Ruhe arbeiten. Was meinen Sie, Manfred?

Herr Müller: Ich finde das Haus herrlich. Wenn ich denke, wie schön es wäre, hier zu leben. Ich meine . . . hier könnte man sehr glücklich sein. Elisabeth, Sie verstehen mich doch?

Herr Ziebland: Darf ich Sie nach oben bitten? Denn dort sind die Schlafzimmer und Badezimmer, die Sie auch sehen müssen. Sie sind besonders schön.

Frau Bender: Herr Ziebland, warum wollen die Leute das Haus eigentlich verkaufen?

Herr Ziebland: Der Herr und die Dame, denen es gehört, wohnen noch nicht lange darin, aber sie sind viel unterwegs. Sie wissen ja, wie das heute so ist. Ich weiß auch nicht genau, warum sie so ein geschmackvolles Haus verkaufen wollen. Es kann natürlich sein, daß sie es sich inzwischen anders überlegt haben. Das wäre schade, denn ich habe den Eindruck, daß es Ihnen gefällt.

Frau Bender: Herr Ziebland, ist das Haus zu verkaufen oder nicht?

Herr Ziebland: Würden Sie mich einen Moment entschuldigen, gnädige Frau. Ich muß noch im Büro anrufen . . .

Frau Bender: Ein schrecklicher Mensch, aber das Haus ist doch wunderbar. So eins suche ich schon seit Wochen. Hier könnte ich meine Freunde einladen, hier könnte ich kleine Konzerte geben . . .

Herr Müller: Hier könnten wir sehr glücklich sein.

Frau Bender: Manfred!

Herr Müller: Sie kennen doch meine Gefühle für Sie. Seit ich Sie kenne, denke ich immer . . .

Frau Bender: Manfred, Sie sind mein guter Freund, und dabei soll es bleiben.

Herr Müller: Warum haben Sie mir das nie gesagt?

Frau Bender: Sie haben mich nie danach gefragt.

Herr Müller: Aber Elisabeth, Sie können doch so ein großes Haus nicht für sich allein kaufen. Sie können doch nicht immer allein leben. Sie können doch nicht . . .

Frau Bender: Manfred, es hat alles seinen Grund.

Herr Ziebland: Nun, gnädige Frau, ich habe gute Nachricht für Sie. Wenn Sie wollen, gehört das Haus Ihnen.

Frau Bender: Ach, Manfred, am liebsten würde ich den Vertrag sofort unterschreiben.

---

verkaufen (verkauft)	to sell
der Baum(̈e)	tree
drüben	over there
der Wald(̈er)	wood, forest
ideal	ideal
der Lindenbaum(̈e)	lime tree
die Gegend(–en)	neighbourhood, area
herum|fahren (fährt herum, [fuhr herum], ist herumgefahren)	to drive around

reden (geredet)	to talk
trotzdem	all the same
hoffen (gehofft)	to hope
der Wunsch (–e)	wish
entsprechen (entspricht, [entsprach], entsprochen) (+ dem)	to correspond to
bereit	prepared
der Wert (–e)	value
die Diele (–n)	hall
tapezieren (tapeziert)	to paper
geschmackvoll	tasteful(ly)
der Kamin (–e)	fireplace, chimney
ein|bauen (eingebaut)	to build in
der Geschmack (no pl.)	taste
leben (gelebt)	to live
seit (+ dem)	since, for
das Gefühl (–e)	feeling
zu verkaufen	for sale
dort drüben	over there
auf die Nerven gehen	to get on one's nerves
in Ruhe	in peace
Sie haben Geschmack	you've got good taste
wie das heute so ist	the way things are today
dabei soll es bleiben	let's leave it at that
es hat alles seinen Grund	there's a reason for everything

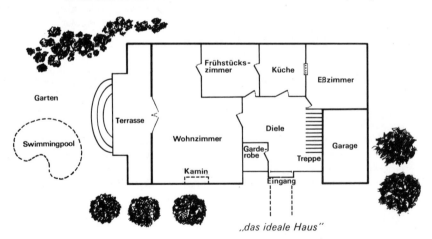

„das ideale Haus"

Wenn man ein Haus kaufen oder eine Wohnung mieten will

In Germany most people live in large apartment houses in flats which they can either buy as *Eigentumswohnungen* or rent on a short term lease as *Mietwohnungen*. It is the ambition of many to own a house in the suburbs, although these are rare and expensive. Their acquisition is a complicated legal matter. Every change of property is entered in the *Grundbuch* (register) and once a house has been acquired, it usually remains in the family.

Every time a person changes his place of residence, even temporarily, he has to notify the local authorities within seven days. This is called *Meldepflicht*.

würde + *verb*

ich würde	du würdest	er, sie, es würde	man würde
I would	you would	he, she, it would	one would
wir würden	ihr würdet	Sie würden	sie würden
we would	you would	you would	they would

Note that it follows the same pattern as *wäre, hätte, könnte* (see page 105):

würde + verb is used when you are expressing what you would do 'if'. It is therefore constantly used in sentences with *wenn* which refer to something which might be or might happen. The *wenn*-part of such sentences generally contains forms like *wäre, hätte, könnte*. Note that after *würde* the verb saying what you would do comes at the end of the phrase:

Wenn ich Sie wäre, *würde* ich das Haus *kaufen*.	If I were you, I'd buy the house.
Wir *würden* uns *freuen*, wenn Sie kommen könnten.	We'd be pleased if you could come.
Wenn das Wetter schön wäre, *würden* wir *ausgehen*.	If the weather were nice, we'd go out.
Wenn ich Zeit hätte, *würde* ich Ihnen *schreiben*.	If I had time, I'd write to you.

der Mann, der . . . die Frau, die . . .

der/die/das, etc. are used in the sense of 'who, which, that', when referring back to a noun. They follow the same pattern as in the colloquial usage of *der, die, das* meaning 'he, she, it', etc. (see page 106) with one important difference: the verb form comes at the end of the phrase, i.e. the word order is the same as in sentences with *weil, daß, wenn*:

Der Herr, *der* dort *steht* . . .	The man who is standing there . . .
Der Herr, *den* ich *kenne* . . .	The man whom I know . . .
Der Herr, *dem* ich geholfen *habe* . . .	The man whom I helped . . .
Der Herr, *mit dem* ich gesprochen *habe* . . .	The man with whom I spoke . . .
Die Dame, *die* gestern da *war* . . .	The lady who was here yesterday . . .
Die Dame, *der* ich geholfen *habe* . . .	The lady whom I helped . . .
Die Dame, *mit der* ich gesprochen *habe* . . .	The lady with whom I spoke . . .
Das Auto, *das* ich gekauft *habe* . . .	The car (which) I bought . . .
Das Auto, *mit dem* ich gefahren *bin* . . .	The car (in) which I drove . . .
Das Auto, *für das* ich viel bezahlt *habe* . . .	The car for which I paid a lot . . .
Die Leute, *die* wir *kennen* . . .	The people (whom) we know . . .
Die Leute, *für die* wir Karten besorgt *haben*. . .	The people for whom we got tickets . . .

Note that *den* (pl.) changes to *denen*:

Die Herren, *denen* wir geholfen *haben* . . .	The men (whom) we helped . . .
Die Damen, *zu denen* wir *gehen* . . .	The ladies we're going to . . .
Die Leute, *mit denen* wir gesprochen *haben* . . .	The people with whom we spoke . . .

seit . . . schon . . . lange

With the words *seit* (since, for), *schon* (already), *schon lange* (for a long time) and similar expressions of time, the present tense is used when you want to say for how long something has been going on:

Ich *wohne* seit Jahren in München.	I have been living in Munich for years.
Er *wartet* schon lange auf uns.	He has been waiting for us for a long time.
Wir *sind* schon drei Wochen hier.	We've been here for three weeks (already).
Sie *kennt* ihn seit drei Monaten.	She has known him for three months.

The same applies to the corresponding questions:

Wie lange *ist* sie schon hier?	How long has she been here (already)?
Seit wann *kennen* Sie ihn?	(For) how long have you known him?

Note: phrases introduced by *seit* follow the same pattern as those introduced by *daß*, *weil*, *wenn*, *als*, *bevor* (see pages 87 and 106):

Seit er sie *kennt*, liebt er sie.	Since he has known her he has loved her.
Sie wohnen hier, seit das Haus verkauft *ist*.	They have been living here since the house was sold.

when to use leben, wohnen *and* bleiben

leben means 'to live, spend one's life':

Er lebt nicht gern allein.	He doesn't like living alone.
Man lebt nur einmal.	You only live once.
Leben Sie schon lange in Deutschland?	Have you been living in Germany for long?

wohnen means 'to live' in the sense of 'to reside':

Sie hat früher in Berlin gewohnt.	She used to live in Berlin.
Wo wohnen Sie jetzt?	Where are you living now?

It is also used in the sense of 'to stay' (in a hotel, with friends, etc.):

Wir wohnen in einem sehr schönen Hotel.	We are staying at a very nice hotel.
Wohnen Sie wieder bei Ihren Freunden?	Are you staying with your friends again?

bleiben means 'to stay' in the sense of 'to remain':

Wir bleiben heute zu Hause.	We're staying at home today.
Wie lange bleiben Sie in Köln?	How long are you staying in Cologne?

It has nearly the same meaning as *wohnen* when used in the sense of 'staying with someone or at a hotel':

Sie können bei uns bleiben/wohnen.	You can stay with us.
Wir bleiben/wohnen in einem Hotel.	We're staying at a hotel.

Übungen

a) Re-write the sentences as though you were describing what you would do 'if', using *wäre*, *hätte*, *könnte* and *würde* (e.g. Wenn es Sommer ist, verreisen wir. → Wenn es Sommer *wäre*, *würden* wir verreisen.):

   1. Wenn er da ist, lade ich ihn ein. ....

   2. Ich komme gern, wenn ich Zeit habe. ....

   3. Wir essen etwas, wenn wir Hunger haben. ....

   4. Wenn Sie uns anrufen können, freuen wir uns. ....

   5. Wenn das Wetter schön ist, fahren wir in die Berge. ....

   6. Wenn Ihr Freund uns abholen kann, warten wir im Hotel. ....

b) Complete the story by putting in the right form of *der*, *die*, *das*:

   Die Stadt, — mir am besten gefällt, ist Berlin. Meine Freundin, mit — ich auf Urlaub dort war, findet es auch. Aber ihre Verwandten, — dort wohnen, möchten lieber in München leben. Sie suchen ein Haus, — im Grünen liegt und einen Garten hat, — nicht zuviel Arbeit macht. Die Häusermakler, mit — ich gesprochen habe, versuchen ein Haus für sie zu finden, — ihren Wünschen entspricht.

c) Turn the two sentences into one with the help of *der/die/das*, etc. (e.g. Das Auto ist teuer. Mein Bruder hat *es* gekauft. → *Das Auto, das* mein Bruder gekauft hat, ist teuer.):

1. Das Haus ist zu teuer. Er will es verkaufen. ....

2. Das Mädchen ist nett. Mein Freund möchte sie heiraten. ....

3. Die Dame ist eine bekannte Sängerin. Sie hat mich angerufen. ....

4. Der Kuchen schmeckt herrlich. Ich habe ihn in der Bäckerei gekauft. ....

   ....

5. Der Herr steht dort. Sie wartet auf ihn. ....

6. Mein Chef ist nicht da. Ich habe etwas mit ihm zu besprechen. ....

   ....

d) *wohnen? bleiben? leben?* Put in the right word:

1. Wir — am liebsten zu Hause. ....

2. Wenn Sie wollen, können Sie bei uns — . ...

3. Die Wohnung, in der Sie —, ist sehr geschmackvoll. ....

4. Mein Freund — schon seit Jahren in Amerika. ....

5. Wenn Sie wollen, — wir den ganzen Tag in der Stadt. ....

e) Check these statements about the scene. Tick the ones that are right and correct the others with complete sentences:

1. Herr Ziebland geht Herrn Müller auf die Nerven. ....

2. Frau Bender würde der Garten ohne Blumen besser gefallen. ....

3. Sie möchte einen Kamin in die Diele einbauen lassen. ....

4. Die Leute, denen das Haus gehört, wollen es nicht verkaufen. ....

5. Frau Bender möchte den Vertrag noch nicht unterschreiben. ....

6. Herr Müller wäre glücklich, wenn er Frau Bender heiraten könnte. ....

7. Aber für Frau Bender ist Herr Müller nur ein guter Freund. ....

Rätsel

Complete these phrases. The first letters of the missing words reading downwards will tell you what Frau Bender didn't like about the estate agent.

– – – – nach dem andern.

Sie haben – – – – – .

Hier kann man in – – – – leben.

– – – – – Gruß an sie.

– – macht zusammen.

Merken Sie – – sich!

– – – Sie mir einen Gefallen!

Hier ist – – – – los!

– – – – – langsam.

– – freut mich sehr.

Was? Das ist ja das – – – – – – !

H

19 Barbara muß einen Artikel schreiben

vor dem Reisebüro Atlas

Barbara: Das ist also das Reisebüro, in dem Klaus früher gearbeitet hat. Soll ich oder soll ich nicht hineingehen? Was steht hier? „Wer an Urlaub denkt, kommt zu uns. Wir haben Erfahrung, wir sind zuverlässig, wir buchen die schönsten Reisen — zu den interessantesten Preisen. Eine Fahrt ins Blaue mit Reisebüro Atlas ist ein
5 Erlebnis." Na, das klingt ja alles ein bißchen übertrieben. Aber ich will doch hineingehen, diesen Herrn Eckert interviewen und fragen, wie die Reisen organisiert werden . . .

im Reisebüro Atlas

Erika: Guten Tag. Sie wünschen?

Barbara: Kann ich Herrn Eckert sprechen?

10 *Erika:* Erwartet er Sie?

Barbara: Ich komme von der „Illustrierten Woche". Ich bin Reporterin. Es ist mir gesagt worden, daß Herr Eckert vielleicht bereit wäre, mir ein Interview zu geben.

Erika: Ach so. Ihr Name bitte?

Barbara: Barbara Sandwirt.

15 *Erika:* Einen Moment. Ich glaube, er ist da . . .

Herr Eckert: Guten Tag, Fräulein Sandwirt. Darf ich Sie in mein kleines Büro bitten? Nehmen Sie doch Platz! Kann ich Ihnen etwas anbieten? Eine Tasse Kaffee?

Barbara: Danke, nein. Ich komme von der „Illustrierten Woche". Wie Sie wissen, sind Artikel über Ferienreisen bei unseren Lesern immer sehr beliebt. Nun wollte ich
20 genauer wissen, was für Reisen dieses Jahr angeboten werden, wie sie organisiert werden, zu welchen Preisen und zu welchen Bedingungen.

Herr Eckert: Eins nach dem andern, Fräulein Sandwirt. Übrigens, rauchen Sie? Nein? Stört es Sie, wenn ich rauche?

Barbara: Nein, bitte schön.

25 *Herr Eckert:* Nun, um auf Ihre Fragen zurückzukommen: am besten sehen Sie sich unsere Prospekte an. Zum Beispiel, hier werden Reisen ans Meer angeboten, an die Nordsee, die Ostee, ans Mittelmeer, besonders nach Italien und Spanien. Es sind Ferienreisen für Leute, die Wasser und Sonne suchen, die schwimmen wollen, segeln, paddeln, Wasserski fahren und so weiter. Das sind die Reisen,
30 die am meisten gebucht werden. Für 20 Mark pro Tag können Sie den schönsten Urlaub verbringen. Dann gibt es dieses Jahr etwas Neues — unsere Kletterkurse und Reitkurse. Diese Kurse, die mit der Unterkunft gebucht werden, sind sehr beliebt.

Barbara: Ich habe gelesen, daß es bei Ihnen eine „Fahrt ins Blaue" gibt. Das klingt sehr geheimnisvoll.

Herr Eckert: Ja, diese Fahrten sind für Leute, die Abenteuer suchen. Es sind Wochenendreisen, oft auf einem Schiff, auf dem abends getanzt und gesungen wird. Es gibt immer
5 kleine Überraschungen, von denen ich Ihnen lieber nichts erzählen will. Denn ich kann Sie zu so einer Reise einladen, wenn Sie Lust haben. Da haben Sie sicher Ihren Lesern etwas Interessantes zu erzählen.

Barbara: Danke schön. Mit dem größten Vergnügen! Übrigens, Sie haben gerade gesagt, daß es bei dieser Fahrt kleine Überraschungen gibt. Wird so etwas auch bei
10 Ihren anderen Reisen organisiert?

Herr Eckert: Organisiert wäre nicht das richtige Wort dafür. Denn es passieren auch Sachen, mit denen wir nicht gerechnet haben. Zum Beispiel haben wir vor kurzer Zeit eine Reise für eine Dame nach Marbach gebucht. Sie wissen doch, dort ist das bekannte Schillermuseum. Und was meinen Sie, was passiert ist? Als die Dame
15 dort ankam, sah sie, daß sie im falschen Marbach war. Sie wollte zu ihren Verwandten in Marbach an der Donau.

Barbara: Das war ja ein schönes Erlebnis! Aber so etwas kann passieren, besonders weil es so viele Städte gibt, die den gleichen Namen haben.

Herr Eckert: Ja, stimmt.
20 Barbara: Und noch eine Frage, die unsere Leser sehr interessiert: wieviel muß man für Unterkunft ausgeben?

Herr Eckert: Ja, das ist ganz verschieden. Jeder, der eine Reise mit uns macht, sagt uns, was er will: Hotel oder private Unterkunft, Vollpension . . .

Barbara: oder Halbpension.
25 Herr Eckert: Genau. Zimmer mit . . .

Barbara: oder ohne Bad,

Herr Eckert: Blick aufs Meer . . .

Barbara: oder auf den Garten.

Herr Eckert: Sie kennen sich ja gut damit aus. Ich könnte Ihnen sofort eine Stelle hier anbieten!
30 Barbara: Ich habe einen Freund, der im Schloßhotel arbeitet. Von ihm habe ich das alles gelernt. Übrigens hat er mich zu Ihnen geschickt.

Herr Eckert: Aber ich dachte, Sie sind von der „Illustrierten Woche" geschickt worden.

Barbara: Ja und nein. Die Zeitung will, daß ich den Artikel schreibe. Aber Klaus hat die gute Idee gehabt, mich zu Ihnen zu schicken.
35 Herr Eckert: Ah, Klaus Siebeck, der junge Mann, der hier gearbeitet hat. Grüßen Sie ihn bitte . . .

＊ ＊ ＊

Herr Eckert: Fräulein Koch, ich habe die junge Dame für eine „Fahrt ins Blaue" eingeladen. Können Sie einen Platz für sie für dieses Wochenende reservieren? Kostenlos natürlich.

Erika: Wird sofort gemacht.
40 Herr Eckert: Und was ich noch sagen wollte. Ich bin eingeladen worden, sieben Tage auf einem Rheindampfer, der seine erste Fahrt macht, zu fahren. Es geht von Rotterdam bis Basel, alles kostenlos für zwei Personen. Wir können leider nicht, weil meine Frau krank ist. Aber wäre diese Rheinfahrt keine Hochzeitsreise für Sie?

Erika: Das wäre herrlich, Herr Eckert. Können wir denn an Ihrer Stelle fahren?
45 Herr Eckert: Das wird schon in Ordnung gebracht. Übrigens, wissen Sie, wer die hübsche junge Dame war? Es war die Freundin von Klaus Siebeck.

Erika: Das kann nicht sein, Herr Eckert. Ursula Borkmann ist seine Freundin.

Herr Eckert: Vielleicht hat er jetzt eine andere.

Erika: Das glaube ich nicht. Ursula hat vorhin angerufen, und hat nach Reisen an den
50 Bodensee gefragt – für zwei.

Herr Eckert: Ach so! Und der Bodensee ist doch der beliebteste Platz für Hochzeitsreisen!

der Preis(—e)	price
das Erlebnis(—se)	experience, adventure
klingen ([klang], geklungen)	to sound
übertrieben	exaggerated
anbieten ([bot an], angeboten)	to offer
der Leser(—)	reader
beliebt	popular
das Meer(—e)	sea
das Mittelmeer	Mediterranean
segeln (gesegelt)	to go sailing
paddeln (gepaddelt)	to go canoeing
der Kletterkurs(—e)	course for climbers
der Reitkurs(—e)	course in riding
die Unterkunft(—e)	accommodation
geheimnisvoll	mysterious
das Wochenende(—n)	weekend
gleich	same
der Blick(—e)	view
kostenlos	free of charge
der Rheindampfer(—)	Rhine steamer
die Hochzeitsreise(—n)	honeymoon
vorhin	a little while ago
der Bodensee	Lake Constance
denken an (+ den)	to think of, about
eine Fahrt ins Blaue	a mystery tour
zum Beispiel (z.B.)	for example (e.g.)
vor kurzer Zeit	a short while ago
Sie kennen sich gut aus	you know all about it
wird sofort gemacht	that'll be done at once
an Ihrer Stelle	in your place
das wird in Ordnung gebracht	that'll be sorted out

Ferien in Deutschland

The best known and most popular holiday areas are *der Schwarzwald, die Bayerischen Alpen* and *der Rhein*. But there are other parts of the country, equally attractive and less explored, such as *der Odenwald, der Taunus, die Eifel, das Weserbergland, die Fränkische Alb, der Bayerische Wald, das Fichtelgebirge* and *der Harz*, all of them mountain ranges of great scenic beauty and ideal for walking tours. Areas which are particularly attractive are often called *Schweiz*, e.g. *die Fränkische Schweiz* in Upper Franconia and *die Holsteinische Schweiz* between Lübeck and Kiel.

Extensive sandy beaches can be found on numerous off-shore islands along the North Sea coast and also on the almost tideless Baltic from Travemünde to the Danish border.

There are many beautiful lakes, especially in southern Germany. The most picturesque are the Alpine lakes and *der Bodensee*, known in particular for its romantic scenery and mild climate.

Amor am Bodensee

Die Urlaubsorte am Bodensee werden zu einem Paradies für Hochzeitspaare. Wer sich heuer am Bodensee trauen läßt, dem winken allerlei Vergünstigungen: Freikarten für die Bregenzer Festspiele (Operette „Hochzeit am Bodensee"), für eine romantische Bodenseefahrt und freier Eintritt zur Insel Mainau. Für Pärchen, die Besonderes wünschen, stehen das Hochzeitsschiff „Ursula" und der Sonderzug „Amor-Expreß" bereit — für Besonderes muß man allerdings aber auch bezahlen.

ich werde eingeladen . . . wir sind eingeladen worden

ich *werde* eingeladen
I am being invited

du *wirst* eingeladen
you are being invited

er, sie, es *wird* eingeladen
he, she, it is being invited

wir *werden* eingeladen
we are being invited

ihr *werdet* eingeladen
you are being invited

Sie *werden* eingeladen
you are being invited

sie *werden* eingeladen
they are being invited

ich *wurde* eingeladen . . . etc.
ich *bin* eingeladen *worden* . . . etc. } I was, have been invited, etc.

(see also Reference section, p. 139).

werden + *(ge)* –––*en* or *(ge)* –––*t* is used to express that something is being done to a person or thing, i.e. when the person or thing concerned plays a passive role. As elsewhere the *(ge)* –––*en*, *(ge)* –––*t* forms come at the end of a simple sentence. Note that the past form of *werden* here is *worden* (not *geworden*), and that it stands last of all:

Sie *wird* von ihrem Freund *eingeladen*. — She is being invited by her boy friend.
Ich *werde* von meinem Mann *abgeholt*. — I am being fetched by my husband.
Straßenbahnen *werden* rechts *überholt*. — Trams are (being) overtaken on the right.
Ich *wurde* nicht *gefragt*. — I wasn't asked.
Er *ist* um sieben Uhr *angerufen worden*. — He was rung up at 7 o'clock.

Sentences with *es wird*, *es werden* + *(ge)* ––– *en* or *(ge)* ––– *t* occur frequently. They indicate that something is being done or going on without mentioning any persons. These forms are similar in meaning to sentences with *man*:

Es wird hier viel getanzt. }
Man tanzt hier viel. } People dance a lot here.

Es werden oft Fehler gemacht. }
Man macht oft Fehler. } Mistakes are often made.

Es wird um acht Uhr gefrühstückt. }
Man frühstückt um acht Uhr. } Breakfast is at 8 o'clock.

es drops out in questions, or if the sentence starts with another word (see also below):

Wann wird gefrühstückt? — When is breakfast?
Fehler werden oft gemacht. — Mistakes are often made.
Hier wird viel getanzt. — People dance a lot here.

es

● means 'it' and replaces words with *das*:

Hier ist *das Hotel*. *Es* ist schön. — Here is the hotel. It's nice.
Zeigen Sie mir *das Zimmer*. Ich nehme *es*. — Show me the room. I'll take it.

●● is used in the general sense of 'it':

Es ist kalt heute. — It's cold today.
Wie war es bei der Party? — What was it like at the party?
Es regnet wieder. — It's raining again.

●●● frequently occurs in the sense of 'this, that' or 'these, those' when followed by *ist/sind*, *war/waren*, *wird/werden*. It has practically the same meaning as *das ist/das sind*, etc.:

Es ist eine schöne Überraschung. — It's (i.e. this is) a nice surprise.
Es war eine gute Idee. — It was (i.e. that was) a good idea.
Es sind sehr beliebte Reisen. — They are (i.e. those are) very popular trips.
Es werden Aufnahmen für ein Buch. — They are (i.e. those are) going to be pictures for a book.

:: *es* + verb, singular or plural, can mean 'there':

Es ist viel Verkehr.	There's a lot of traffic.
Es sind viele Autos auf der Straße.	There are a lot of cars on the road.
Es kommt eine Überraschung.	There is a surprise coming.
Es kommen noch mehr Leute.	There are still more people coming.

In this sense *es* is dropped in questions, or when the sentence begins with another word:

Heute ist viel Verkehr.	There's a lot of traffic today.
Sind viele Autos auf der Straße?	Are there a lot of cars on the road?
Morgen kommt eine Überraschung.	There's a surprise coming tomorrow.
Kommen denn noch mehr Leute?	Are there still more people coming?

Note: *es* is not dropped in phrases like *es gibt*, *es geht*, *es klingelt*:

Wann gibt es etwas zu essen?	When will there be something to eat?
Wie geht es?	How are things?
Da klingelt es schon wieder.	There's someone ringing again.

when to use nach, zu, an *and* in

nach

with towns, countries and continents:

Gestern sind sie nach Amerika geflogen.	They flew to America yesterday.
Ich möchte dieses Jahr nach Italien fahren.	I'd like to go to Italy this year.
Der Zug nach Berlin steht auf Gleis drei.	The train to Berlin is standing on platform 3.

Exceptions: *in* die Schweiz   to Switzerland   *in* die U.S.A.   to the U.S.A.

zu

• in connection with people:

Wir fahren zu unseren Freunden.	We're going to our friends.
Ich muß zum Friseur.	I have to go to the hairdresser's.
Gehen Sie doch zum Direktor.	Go and see the director.

•• with public buildings and offices:

Ich gehe zuerst zum Postamt.	I'm going to the post office first.
Die Straßenbahn fährt nicht zum Bahnhof.	The tram doesn't go to the station.
Wie komme ich zum Rathaus?	How do I get to the town hall?
Wie weit ist es zur nächsten Tankstelle?	How far is it to the next petrol station?

an

• conveys the idea of 'to the edge of' and is used in connection with lakes, seaside, rivers, etc.:

Wir fahren ans Meer.	We're going to the seaside.
Sie machen eine Reise an den Bodensee.	They're making a trip to Lake Constance.
Waren Sie schon einmal am Rhein?	Have you ever been to the Rhine?

•• with verbs like *schicken*, *schreiben* (i.e. 'to an address'):

Schicken Sie ein Telegramm an Ihre Freunde.	Send a telegram to your friends.
Ich habe gestern an das Hotel geschrieben.	I wrote to the hotel yesterday.

in

with places, buildings, mountain ranges, when you mean 'inside, into the interior of':

Ich will jetzt in die Stadt.	I want to go into town now.
Wollen wir ins Kino gehen?	Shall we go to the cinema?
Sie sind in den Schwarzwald gefahren.	They went to the Black Forest.

Übungen

a) Re-write the sentences by using *werden + (ge) – – – en* or *(ge) – – – t* (e.g. *Man trinkt* viel Bier in Deutschland. → *Es wird* viel Bier in Deutschland *getrunken*.):

1. Man tanzt hier jeden Abend. *Es wird hier jeden Abend getanzt.*
2. Am Wochende arbeitet man nicht. *Am Wochende wird nicht gearbeitet*
3. Von acht bis neun Uhr frühstückt man. *Von acht bis neun wird gefrühstückt*
4. Im Büro telefoniert man nicht. *Im Büro wird nicht telefoniert*
5. In Deutschland fährt man rechts. *In Deutschland wird rechts gefahren.*
6. Man kauft keine langen Kleider mehr. *Es werden keine langen Kleider mehr.*

b) Reply to each request that it is being done (e.g. *Holen Sie* das Gepäck! — Das Gepäck *wird geholt*.):

1. Bestellen Sie das Taxi! *Das Taxi wird bestellt*
2. Schicken Sie die Karten! *Die Karten werden geschickt*
3. Erzählen Sie keinem die Geschichte! *Die Geschichte wird keinem erzählt*
4. Schreiben Sie den Brief sofort! *Der Brief wird sofort geschrieben.*
5. Verkauft das Haus nicht! *Das Haus wird nicht verkauft.*
6. Mach den Rock kürzer! *Der Rock wird kürzer gemacht.*
7. Laden Sie alle Gäste ein! *Alle Gäste werden eingeladen.*
8. Bringen Sie das Paket auf die Post! *Das Paket wird auf die Post gebracht*

c) *nach? zu? an? in?* Insert the correct word:

1. Wollen Sie mit uns — *in* dieses Kino gehen?
2. Wir fahren mit dem Auto — *nach* Italien.
3. Wie komme ich — *in* die Stadt?
4. Dieses Jahr wollen wir — *in* die Schweiz und — *nach* Österreich fahren.
5. Machen Sie eine Reise — *an* die Nordsee.
6. Kommen Sie heute abend — *zu* uns!
7. Ich möchte so gern — *an* den Bodensee fahren.

Rätsel

Complete these statements about the scene. The first letters of the missing words reading downwards will tell you what Herr Eckert's wedding present is.

Das Reisebüro Atlas organisiert Kletterkurse und —.

Es gibt Unterkunft mit Vollpension oder — .

Barbara wird zu einer Fahrt ins Blaue — .

Sie ist ins Reisebüro gekommen, um Herrn Eckert zu — .

Es gibt Reisen ans Mittelmeer, an die Ostsee und die — .

Barbara muß einen Artikel über — schreiben.

Eine Fahrt ins Blaue ist für Leute, die — suchen.

Der Bodensee ist ein beliebter Platz für — .

Fräulein Sandwirt — nicht.

Sie will auch keine — Kaffee.

20 Wer hätte das gedacht?

im Schallplattengeschäft

Ursula: Hoffentlich hat dieses Geschäft die neue Platte von Bobby Simpson. Er ist ein wunderbarer Sänger.

Klaus: Siehst du, da steht die Platte.

Ursula: Und ich hatte schon Angst, sie könnte ausverkauft sein. Es gibt nicht viele
5 Platten, die im letzten Jahr so viel Erfolg gehabt haben.

Klaus: Das kommt nur davon, weil er so viel im Fernsehen singt. Ich versteh' gar nicht, warum du ihn so bewunderst. Er singt Schnulzen wie jeder andere. Aber wenn es dir Freude macht, kaufen wir die Platte.

Ursula: Wir wollen sie uns lieber zuerst anhören. Meinst du nicht?

10 *Klaus:* Aber die Kabinen sind alle besetzt. Die Leute stehen ja Schlange.

Ursula: Weißt du, heute ist Samstag, da wird nicht gearbeitet . . . Sieh mal, Klaus, erkennst du die hübsche Frau da auf dieser Platte?

Klaus: Welche hübsche Frau?

Ursula: Die Frau, für die du schwärmst, Frau Bender. Das ist ihre erste Schallplatte.
15 „Elisabeth Gerber singt berühmte Lieder."

Klaus: Ich schwärm' doch nicht für Sängerinnen. Ich schwärm' doch nur für dich.

Ursula: Ja?

Klaus: Aber ich muß sagen, auf der Aufnahme sieht sie wirklich gut aus.

Ursula: Was meinst du? Wird sie wohl Herrn Müller heiraten?

20 *Klaus:* Sicher nicht, denn dazu ist sie viel zu intelligent.

Ursula: Glaubst du, dein früherer Chef ist dumm?

Klaus: Nein, nicht gerade dumm, aber er wäre doch nicht der richtige Mann für so eine Frau.

Ursula: Ich könnte fast wetten, daß sie sich heiraten. Viele Frauen wären froh, so einen
25 netten und zuverlässigen Mann zu bekommen. Und jetzt wollen sich die zwei das schöne Haus dort draußen kaufen.

Klaus: Mir ist erzählt worden, daß Frau Bender sich das Haus kauft und daß er ihr nur ein paar Ratschläge gibt.

Ursula: Ach, die Leute reden immer so. Ich wette fünf Mark mit dir.

30 *Klaus:* Gut. Die wirst du verlieren! Ah, hier ist endlich eine Kabine frei. Nimm die Platten, die wir ausgesucht haben, und laß uns hineingehen.

Ursula: Sieh mal, wer da kommt. Jürgen und Erika, das glückliche Paar. Haben sie uns gesehen?

Klaus: Ja, sie kommen schon her.

35 *Jürgen:* Wie geht's? Nett, daß wir uns treffen.

Ursula: Kommt, hört euch mal die Platte von Bobby Simpson an.

Jürgen: Die wollten wir auch gerade kaufen.

Klaus: Habt ihr schon die neue Platte von Frau Bender gesehen? Ich würde sagen, wir

	hören sie uns zuerst an, und dann eure Schlager.
Jürgen:	Wenn's sein muß.
Klaus:	Kommt, setzt euch hin und hört zu.
Ursula:	Klaus schwärmt im stillen für sie. Nur darf man's ihm nicht sagen, sonst wird er
5	wütend.
Platte:	„Im Prater blüh'n wieder die Bäume,
	in Sievering grünt schon der Wein.
	Da kommen die seligen Träume.
	Es muß wieder Frühlingszeit sein.
10	Im Prater blüh'n wieder die Bäume,
	es leuchtet ihr duftendes Grün.
	Drum küß, nur küß, nicht säume,
	denn Frühling ist wieder in Wien."
Jürgen:	Echt Wiener Schmalz!
15 *Klaus:*	Jürgen, ärger mich nicht! Das Lied ist sehr schön, und sie singt es wunderbar.
	Sagt mal, was meint ihr? Wird sie wohl Herrn Müller heiraten?
Jürgen:	Woher soll ich das wissen?
Erika:	Ich glaube schon, denn sonst würden sie das Haus nicht kaufen. Ich wünschte,
	wir könnten uns so ein Haus leisten.
20 *Jürgen:*	Schatz, du wolltest doch eine ganz kleine, billige Wohnung.
Erika:	Ja, aber ein Haus wäre doch schöner.
Jürgen:	Die Frauen sind doch nie zufrieden.
Klaus:	Also, wenn ich Frau Bender wäre, würde ich Herrn Müller nicht heiraten.
Ursula:	Klaus, du bist ein Mann.
25 *Klaus:*	Ja, Gott sei Dank.
Ursula:	Also verstehst du nichts von Frau Bender.
Klaus:	Ich verstehe mehr, als du denkst.
Ursula:	So?
Erika:	Kinder, streitet euch nicht. Jetzt kaufen wir unsere Platten.
30 *Klaus:*	Und dann könnten wir ins Schloßhotel gehen und auf der Terrasse etwas
	trinken. Ich hab' heute frei. Da stört uns keiner. Mein schönes altes Auto steht
	dort auf dem Parkplatz. Da kann ich euch schnell hinfahren . . .
Erika:	. . . und wir könnten unser letztes Zusammensein feiern.
Ursula:	Unser letztes Zusammensein? Wann wird denn geheiratet?
35 *Erika:*	Nächste Woche fahren wir nach Köln, und dort werden wir getraut.
Ursula:	Und wann sehen wir uns denn wieder?
Erika:	Ich weiß nicht. Vielleicht nächstes Jahr. Und ihr? Es ist doch mal Zeit, daß ihr
	heiratet.
Klaus:	Das denk' ich schon seit Monaten.
40 *Ursula:*	Ich auch. Ich hab' gedacht, wir könnten vielleicht eine Hochzeitsreise an den
	Bodensee machen . . .

*   *   *

im Schloßhotel

Erika:	Schicke Leute sind hier im Schloßhotel, Klaus.
Klaus:	Natürlich. Nur die beste Kundschaft kommt hierher.
Ursula:	Klaus würde ja nie mehr wo anders arbeiten. Sein größter Wunsch ist jetzt,
45	Hoteldirektor zu werden.
Klaus:	Du wirst's schon sehen. Wenn ich mir etwas in den Kopf setze, mach' ich's
	gewöhnlich. Man muß nur ein bißchen intelligent sein. Man muß sehen, daß
	die Gäste zufrieden sind, daß sie die Zimmer bekommen, die ihnen gefallen . . .
Ursula:	Klaus, da kommt die hübsche Frau, die du so bewunderst.
50 *Klaus:*	Wer denn?

Ursula:	Frau Bender. Ich glaube, sie will etwas von dir.	
Frau Bender:	Klaus, entschuldigen Sie, daß ich Sie störe. Ich habe eine kleine Bitte. Es ist etwas, das Herr Müller nicht gut für mich machen kann, und am liebsten würde ich es ihm auch gar nicht sagen. Morgen kommt Reinhart Wendenberg an. Sie wissen doch, wen ich meine, den Dirigenten aus Amerika, der hier eine Konzertreise macht. Könnten Sie ein schönes großes Doppelzimmer für uns reservieren?	
Klaus:	Aber . . . Natürlich. Selbstverständlich, Frau Bender.	
Frau Bender:	Klaus, warum sehen Sie so entsetzt aus? Reinhart ist mein Mann.	

5

---

die Platte(–n)	disc
das Fernsehen	television
bewundern (bewundert)	to admire
die Schnulze(–n)	sentimental pop song
sich (etwas) an|hören (angehört)	to listen to (something)
besetzt	occupied
die Schlange(–n)	queue, snake
schwärmen (geschwärmt) für (+ den)	to rave about
berühmt	famous
dumm (ü)	stupid
wetten (gewettet)	to bet
der Ratschlag(–̈e)	advice
der Schlager(–)	pop song
der Schmalz	sentimental stuff
das Zusammensein	meeting
trauen (getraut)	to marry, perform the marriage ceremony
schick	smart
die Kundschaft	clientèle
gewöhnlich	usually
entsetzt	shocked, horrified
das kommt davon	that's the result of . . .
im Fernsehen	on television
jeder andere	any other
Schlange stehen	to queue
die Leute reden so	people talk a lot
im stillen	secretly, on the quiet
wo anders	elsewhere
du wirst's schon sehen	you'll see
wenn ich mir etwas in den Kopf setze	when I've made up my mind to do something
sie will etwas von dir	she wants to ask you something

gnädige Frau . . . Herr Doktor . . . Herr Ober

Herr . . . Frau . . .Fräulein . . . (+ surname) are the usual forms of address. Women over 30 are usually called *Frau*, not *Fräulein*. *Gnädige Frau* is a formal way of addressing a woman one doesn't know well. Men and women with an academic title are called *Herr Doktor, Frau Doktor, Herr Professor*, etc.

In offices, superiors holding an official position are addressed as *Herr Direktor, Herr Minister*, etc., but other staff are called by their surnames. Christian names are rarely used.

People performing a service to the public are also addressed as *Herr*: *Herr Ober* (to a waiter), *Herr Wachtmeister* (to a policeman), *Herr Schaffner* (to a conductor or ticket collector on a train, etc.).

Wiederholungsübungen

a) Was ist das?

1.
2.
3.
4.
5.

6.
7.
8.
9.
10.

b) Replace the words in italics with *er, sie, es, ihn*, etc., or *damit, dafür*, etc. as appropriate:

1. *Meine Bekannten* haben *meine Schwester* und *ihren Verlobten* eingeladen ....

2. *Der Direktor* hat *dem Empfangschef* gesagt, daß er *dem Assistenten* helfen soll...........................

3. Hat *das Mädchen* etwas *von dem Abenteuer* erzählt? ....

4. Gestern kam *der Briefträger* und brachte *die drei Telegramme*............................

5. *Die Handwerker* fangen an, *das Haus* zu reparieren. ....

6. Er kommt *mit dem Auto*, aber ohne *seine Frau*. ....

7. Die Eltern von *meiner Freundin* haben viel *für das Geschenk* bezahlt. ....

8. *Der Chef* hat *seine Sekretärin nach dem Brief* gefragt. ....

(Haben Sie einen Fehler gemacht? Dann sehen Sie bitte auf Seite 27 und 134 nach.)

c) Re-write the passage, using *werden* to refer to the future:

Sie heiraten in einer Woche. Sie wohnen zuerst bei ihren Eltern. Das gefällt ihr sicher nicht. Aber im Sommer mieten sie eine Wohnung. Sie ziehen dann sofort ein. Später kauft er sich vielleicht ein kleines Auto. Hoffentlich sind sie glücklich und machen sich keine Sorgen.

(Haben Sie einen Fehler gemacht? Dann sehen Sie bitte auf Seite 27 nach.)

d) Re-write the sentences making the person in italics play a passive role, using *werden* + *(ge) – – – en* or *(ge) – – – t* (e.g. Er fragt *mich*. → *Ich werde* von ihm *gefragt*.):

1. Er holt *mich* ab.............................

2. Der Direktor lädt *uns* ein. ....

3. Sie hat *ihn* nicht gefragt. ....

4. Wir rufen *euch* an. ....

5. Sie bringt *ihre Eltern* nach Hause. ....

6. Der Polizist nimmt *den Dieb* fest. ....

(Haben Sie einen Fehler gemacht? Dann sehen Sie bitte auf Seite 117 nach.)

e) Identify yourself with the man with the pipe and write down what he would be saying, using expressions with *hin*, *her*, *herauf*, *hinauf*, *herein*, *hinein*, *hinaus*, *heraus*:

1.

2.

3.

....
....

4.

5.

6.

....
....

(Haben Sie einen Fehler gemacht? Dann sehen Sie bitte auf Seite 99 nach.)

f) One of the words in brackets will help you to complete the sentences. Put in the correct forms:

1. Sie hat müde — . (sehen, aussehen, nachsehen) ....

2. Wir wollen morgen —— Schweiz fahren. (in, nach) ....

3. Stellen Sie die Möbel —— Gang. (in, an) ....

4. Sein Auto ist kaputt. Er ist — Autowerkstatt gefahren. (in, zu, nach) ....

5. In welchem Hotel wollen Sie — ? (leben, bleiben, wohnen) ....

6. Das — nichts. Das — ihm gut. (tun, machen) ....

7. Wissen Sie, — der Zug ankommt? (wenn, wann) ....

8. Wir sind nicht ins Kino gegangen, — der Film alt ist. (weil, denn) ....

9. Gehst du nicht zum Friseur? — , ich will mir die Haare schneiden lassen. (nein, ja, doch)

10. Warum trinken Sie den Tee nicht? Haben Sie — Durst? (nicht, kein) ....

g) *Wissen Sie . . .*

wo man das Auto reparieren läßt? ....

wo man sich die Haare schneiden läßt? ....

wo man Schallplatten kauft? ....

wo man Milch kauft? ....

wo man Brot und Brötchen bekommt? ....

wo man zuerst getraut wird? ....

wo man dann getraut wird? ....

was man vor der Hochzeit feiert? ....

wohin viele Leute ihre Hochzeitsreise machen? ....

Kreuzworträtsel

ß is written *ss*

waagerecht

1. In Deutschland fangen die —— um sieben mit der Arbeit an.
5. Es ist gleich —— acht.
8. —— ——. So schnell geht's nicht.
11. Ist Ihr Mann ——?
12. Setzen Sie keinen —— auf?
13. —— —— Uhr wird gefrühstückt.
14. —— kommen viele Leute.
17. Diese Prospekte sind alt. Geben Sie mir Prospekte, die —— ——.
19. Das ist mein —— Pfennig.
20. Kinder, —— —— ——. Wir ärgern uns auch nicht.
22. Warum sagst du „Sie"? —— —— zu mir.
23. —— gut. Dann sehe ich Sie später.
24. Auf Wiederhören. —— nächste Woche.
27. —— wollen uns verloben.
28. Was —— es Neues?
29. Es hat geregnet. —— —— war schrecklich.
32. Was kostet das Haus? Fragen Sie —— ——.

senkrecht

1. Was soll das ——?
2. Setz dich. —— doch Platz.
3. —— hat er nichts von dem Unfall gesagt?
4. Das wundert mich ——.
6. Wir kommen —— Sonntag.
7. Kaufen Sie ein Paar —— für Ihr Essen.
9. Wir gehen heute —— ins Konzert.
10. Frau Bender heiratet ihren —— nicht.
11. —— kennst mich doch.
15. Wir haben kein Geld mehr. Wir haben zuviel ——.
16. Möchten Sie ein —— Kuchen?
18. Wir haben kein Zimmer reserviert. Das muß ein —— sein.
21. Kaufen Sie —— —— oder eine Wohnung?
22. Komm her und —— mir, daß du mich liebhast.
25. Ja, mein Chef —— ——.
26. Danke, es geht —— gut. Und Ihnen?
27. Ich bin nicht ausgegangen, —— ich keine Lust hatte.
30. —— ist am Apparat?
31. Wo ist der Brief? Hier liegt ——.

Key to Exercises and Puzzles

1

a) 1. den Skilehrer 2. diesen Walzer 3. meinen Schuh 4. seinen Urlaub 5. Ihren Freund 6. das Taxi. 7. diesen Herrn 8. die Zeitung 9. den Kaffee 10. meine Schuhe.

b) 1. mich 2. ihn 3. dich 4. uns 5. sie.

c) 1. Ich bleibe (wir bleiben) einen Tag. 2. Er kommt nächsten Montag. 3. Er hat eine Woche Urlaub. 4. Ich war (wir waren) letzten Winter dort. 5. Ich habe (wir haben) nächste Woche Zeit. 6. Ich habe (wir haben) diesen Winter angefangen.

d) 1. Morgen fahre ich nach Hause. 2. Aus Schottland kommt sie. 3. Unten wartet der Skilehrer auf uns. 4. Schön haben Sie das gemacht. 5. Nächsten Winter müssen Sie wieder Ski fahren.

e) 1. Marjorie kommt aus *Schottland.* 2. *Monika* findet *den Skilehrer* toll. 3. √ 4. √ 5. *Der Skilehrer (Hans)* tanzt einen Walzer mit Ursula. 6. Monika *will* mit Hans tanzen.

* *

2

a) 1. dem Herrn 2. meiner Frau 3. Ihrem Freund 4. dem Skilehrer 5. diesem Auto 6. meinen Freunden.

b) 1. der 2. den 3. dem 4. die 5. den 6. dem 7. dem 8. der.

c) 1. Ja, er hat ein Auto gekauft. 2. Doch, ich habe eine Bahnsteigkarte. 3. Doch, ich weiß (wir wissen), wann meine (unsere) Freunde kommen. 4. Doch, es gibt hier Taxis (hier gibt es Taxis). 5. Ja, ich möchte (wir möchten) gern nach Österreich fahren.

d) 1. Bitte steigen Sie ein! 2. Achtung, der Zug läuft ein. 3. Wann können wir ihn abholen? 4. Wie sieht sie aus?

Puzzle: müde; eil*i*g; l*ä*uft; ein*e*; Überraschung; wi*s*sen; Ur*s*ula; M*ü*nchen; mac*h*'s; Zeit. — Eifersucht.

3

a) 1. abzuholen 2. zu helfen 3. aufzumachen 4. zu gratulieren 5. aufzugeben 6. zu sehen.

b) 1. dürfen 2. soll 3. soll 4. muß 5. dürfen 6. müssen 7. soll 8. müssen.

c) 1. Nein, heute abend habe ich (haben wir) keine Zeit (ich habe/wir haben heute abend keine Zeit). 2. Nein, ich kann (wir können) Sie nicht abholen. 3. Nein, der Chef ist nicht da. 4. Nein, er verdient nicht viel Geld. 5. Nein, ich kenne (wir kennen) die Firma nicht. 6. Nein, ich trinke (wir trinken) keinen Kaffee. 7. Nein, er hat keine Stelle gefunden. 8. Nein, ich weiß (wir wissen) nicht, wer die Sängerin ist.

d) 1. √ 2. (Nein,) *Herr Müller* will für Frau Bender arbeiten. 3. (Doch,) Herr Müller ist heute morgen *sehr freundlich*. 4. (Nein,) Herr Müller übernimmt die Firma Eckert *nicht*. (Die Firma Eckert übernimmt das Reisebüro Atlas.) 5. √ 6. (Nein,) Fräulein Koch findet Herrn Müller *nicht* verrückt. (*Klaus* findet Herrn Müller verrückt.)

Puzzle: es; *i*ch; *n*ur; *e*s; *d*er; *U*rsache; mac*h*'s; *m*achen; *h*eute; *e*s; *i*n; *t*ut. — eine Dummheit.

* *

4

a) 1. guten 2. billige 3. schöne 4. neue 5. kaltes.

b) Ich werde Sie morgen um zwölf Uhr abholen. Zuerst werden wir in die Stadt fahren, und dann werden wir etwas essen. Nach dem Essen werde ich Ihnen den Dom zeigen. Meine Freundin wird auch kommen. Abends werden wir zusammen ins Konzert gehen. Sie werden doch hoffentlich Zeit haben.

c) A: Kommen Sie doch zum Kostümfest! Oder *wollen* Sie nicht? Es *wird* sicher nett. Sie *werden* viele Leute kennenlernen. B: Ich möchte schon, aber ich kann nicht. A: Wie schade! Warum denn nicht? B: Ich *will* nicht ohne meinen Mann gehen. Das *werden* Sie doch verstehen. A: Natürlich. Wann *werden* wir Sie dann sehen? B: Vielleicht nächste Woche. Am Montag *will* ich zu meiner Tante, aber am Dienstag *werde* ich wieder da sein. A: Bis nächsten Dienstag dann. Es *wird* schön sein, Sie zu sehen.

d) 1. Was sagen Sie dazu? 2. Ich weiß nichts davon. 3. Der Brief ist nicht für ihn. 4. Er hat mir dafür gedankt. 5. Ich habe vierzehn Tage darauf gewartet. 6. Sie fährt mit ihm nach Köln. 7. Sind Sie damit fertig? 8. Was ist darin?

Puzzle: einmal, *I*ndianerin, *N*eues, *I*ieber, *a*ndere Sehenswürdigkeiten, *d*anken, *u*mgekehrt, *N*amen, *g*estern. — Einladung.

*   *

5

a) 1. sie 2. sie 3. ihn 4. es 5. ihn 6. es 7. er 8. sie.

b) Er hat lange im Restaurant auf sie gewartet. Zuerst haben sie die Speisekarte studiert. Sie wollte nur eine Kleinigkeit nehmen, aber sie hat nicht gewußt, was. Er hat ihr geholfen, etwas auszusuchen. Dann haben sie das Menü bestellt. Der Ober hat das Essen gebracht. Es hat köstlich ausgesehen. Dann hat er die Flasche Wein aufgemacht und ihnen guten Appetit gewünscht.

c) 1. Neben *die* Tür. 2. Vor *dem* Haus. 3. In *die* Stadt. 4. In *dem (Im)* Büro. 4. Auf *dem* Tisch. 6. In *der* Halle. 7. In *das (Ins)* Restaurant. 8. An *dem (Am)* Fenster.

d) 1. Ich habe ihn gefragt. 2. Zeigen Sie ihr die Speisekarte. 3. Wie geht es ihnen? 4. Sie können bei ihr wohnen. 5. Besprechen Sie die Sache mit ihm. 6. Kann ich ihn sprechen? 7. Bitte schreiben Sie an sie. 8. Erklären Sie ihnen, warum wir keine Zeit haben. 9. Er wartet auf ihn. 10. Hier ist ein Brief von ihm.

e) 1. Er bestellt das Menü ohne die Palatschinken. 2. Sie bestellt eine Königinpastete. 3. Er hat Salzburger Nockerln als Nachspeise ausgesucht. 4. Nein, sie trinkt schwarzen Kaffee. (Nein, sie trinkt keinen Kaffee mit Schlag.) 5. Nein, sie ist nie nervös vor einem Konzert. 6. Nein, es ist alles ausverkauft. (Nein, es gibt keine Karten mehr.)

Crossword puzzle: across: 1. Eifersucht 4. *with 22 down:* wie bitte 8. heiß 9. Engländer 11. Grießnockerln 13. Obst 14. je 15. Straße 18. geehrte 20. Wein ist 21. neben 23. Kilometer 25. Rat 26. nimmt 29. hier 30. Stunde 31. ein. *down:* 1. echt 2. friert sie 3. *with 27 across:* rostet nicht 5. in der 6. Bäckerei 7. erinnert er 9. erste 10. groß 12. morgen früh 16. Skistöcke 17. Ordnung 19. er kommt 20. wollten 24. man 28. tun.

*   *

6

a) 1. Setzen Sie sich doch! 2. Ich freue mich, hier zu sein. 3. Sie verkleidet sich als Indianerin. 4. Sagen Sie den Herren, sie sollen sich setzen. 5. Ich komme morgen. Freuen Sie sich?

b) 1. Das ist eine schöne Überraschung. 2. Vielen Dank für Ihren interessanten Brief. 3. Wir fahren mit unserem neuen Auto. 4. Sie hat ein tolles Kostüm gekauft. 5. Er hat eine komische Tante. 6. Gefallen Ihnen meine blauen Schuhe? 7. Wir wohnen in einem netten Hotel. 8. Ich habe ein großes Zimmer reserviert.

c) 1. Wohin willst du denn? Wohin wollt ihr denn? 2. Du hast mich nicht erkannt. Ihr habt mich nicht erkannt. 3. Du siehst gut aus. Ihr seht gut aus. 4. Warum kommst du so spät? Warum kommt ihr so spät? 5. Ziehst du dich jetzt um? Zieht ihr euch jetzt um? 6. Du wirst dich wundern. Ihr werdet euch wundern.

d) 1. Was steht ihr gut? 2. Wo tanzen die Leute? 3. Als was verkleidet sich Erika? (Als was verkleidet Erika sich?) 4. Wen verführt Jürgen gern? 5. Wohin hat sie die Blumen gestellt? 6. Wem gehört das Auto?

Puzzle: kurz; alten; recht; nett; erkennt; verführt; auf; lustig. — Karneval.

*   *

7

a) Wir sind in den Bergen gewesen (waren in den Bergen) und haben uns sehr gut erholt. Wir sind viel Ski gefahren. Wir sind drei Tage länger geblieben. Das Wetter ist herrlich gewesen (war herrlich). Sie haben ganz recht gehabt. Die Skihütte ist sehr gemütlich gewesen (war sehr gemütlich). Abends sind wir ins Berghotel gegangen, haben Musik gehört und (haben) einen Schnaps getrunken.

b) 1. mich 2. sich 3. sich 4. mir 5. dir 6. uns 7. mich 8. euch 9. euch 10. dich.

c) Sehr geehrtes Fräulein Koch,
Ich habe heute einen Brief von Ihrem früheren Chef bekommen. Er hat mir viel Gutes von Ihnen erzählt und ist sehr interessiert, wie es Ihnen jetzt geht und wie es Ihnen bei der Firma Eckert gefällt. Sie haben sicher recht gehabt, dort zu bleiben. Herr Müller sagt, Sie können mir sicher helfen. Ich habe vor, im Sommer nach Wien zu fahren. Sie kennen doch die Hotels und wissen besser als ich, wo man gut und billig wohnt. Also seien Sie bitte so nett und reservieren Sie ein schönes Zimmer für mich.
Mit den besten Empfehlungen
Marianne Bachstein

d) 1. Georg ist der Bruder von Barbara. 2. Klaus ist so gut wie verlobt. 3. Sie sind drei Stunden zur Skihütte gelaufen. 4. Sie hat drei Zimmer — einen Wohnraum und zwei Schlafkammern. 5. Barbara hat sich schlecht benommen. 6. Er schreibt einen Brief an Herrn Taler (an einen Taxiunternehmer). 7. Er will als Taxifahrer arbeiten.

Quiz: 1. Die Skihütte ist sehr *klein* und hat nur zwei Schlafkammern. 2. Er sucht eine Stelle. Deshalb ist er zum *Arbeitsamt* gegangen. 3. Der Schnee ist herrlich. Da können wir *gut* Ski fahren. 4. *Barbara* ist die Schwester von *Georg.* (Georg ist *der Bruder* von Barbara.) 5. Einen *Geschäftsbrief* fängt man mit „sehr geehrte . . .'' an. (Einen Liebesbrief fängt man mit *„liebe''* oder *„meine liebe . . .''* an.) 6. Meine Skischuhe sind so *schwer.* Ich kann nicht damit tanzen. (Meine Skischuhe sind so leicht. Ich *kann* damit tanzen.) 7. Nockerln sind eine *österreichische* Spezialität. 8. Das Mozart-Museum steht in *Salzburg.*

*   *

8

a) 1. Ich kann nicht kommen, weil ich ins Theater gehe. 2. Sie freut sich, daß er ihr den Brief bringt. 3. Ich habe nicht gewußt, daß er bald heiraten will. 4. Erzählen Sie mir alles, wenn Sie morgen zu mir kommen. 5. Ich treffe Sie um sieben, wenn Sie Zeit haben. 6. Er sucht eine Stelle, weil er hier nicht weiterkommt.

7. Wir sind froh, daß sie uns aushilft. 8. Sind Sie sicher, daß er uns vom Bahnhof abholt? 9. Du sollst nicht böse sein, weil ich mich schlecht benommen habe.

b) 1. Der grüne Hut gefällt mir. 2. Möchten Sie diese billigen Karten? 3. Ich kaufe diesen kurzen Rock. 4. Haben Sie diesen wichtigen Brief gelesen? 5. Kennen Sie die hübsche Dame? 6. Bleiben wir in dieser gemütlichen Skihütte? 7. Ich nehme das billige Menü. 8. Sind Sie schon mit dem neuen Auto gefahren? 9. Vielen Dank für die schönen Blumen.

c) 1. kürzesten. 2. schönsten. 3. kälteste. 4. schnellsten. 5. besten.

d) 1. wann. 2. wenn. 3. wann. 4. wenn. 5. wenn.

e) 1. nachts. 2. fünf 3. Stadttheater 4. sich wundern 5. morgen abend 6. Assistent.

*   *

9

a) 1. Herzlichen Dank für Ihren Brief vom achten April. 2. Wir kommen am siebzehnten August in Hamburg an. 3. Am fünfundzwanzigsten fahren wir wieder zurück. 4. Reservieren Sie zwei Zimmer für die Nacht vom zwanzigsten zum einundzwanzigsten Mai. 5. Ich schreibe Ihnen heute zum dritten Mal. 6. Das erste Mal habe ich Ihnen am siebenundzwanzigsten geschrieben und das zweite Mal am einunddreißigsten.

b) 1. Er ist ein netter Engländer. 2. Sie wird Sekretärin. 3. Er ist Student. 4. Er ist ein guter Taxifahrer. 5. Er wird Direktor.

c) 1. Welches Auto gehört Ihnen? 2. Welcher Herr hat schon alles bestellt? 3. Welche Karten sind so teuer? 4. Mit welchem Zug möchten Sie fahren? 5. Mit welcher Dame hat er gesprochen? 6. In welches Museum gehen Sie (geht ihr) lieber?

d) 1. was für ein. 2. welchen 3. was für eine 4. welches 5. welchem 6. was für.

e) 1. Das Schloßhotel ist in der Mozartstraße. 2. Das Stadtmuseum ist in der Museumstraße. 3. Das Rathaus steht am Marktplatz. 4. Das Stadion ist nicht in der Stadt. 5. Sie muß durch die Mozartstraße gehen. 6. Sie muß durch die Mozartstraße fahren und dann nach rechts in die Schillerstraße abbiegen.

10

a) Sehr geehrter Herr Meyer,
Besten Dank für Ihren Brief vom ersten März. Wir reservieren Ihnen und Ihrer Frau gern ein schönes, ruhiges Doppelzimmer. Leider haben wir nur zwei kleine, aber bequeme, Einzelzimmer für Ihre Freunde. Es tut uns sehr leid, daß wir keine größeren (kein größeres) Zimmer um diese Zeit frei haben, aber am dritten fangen unsere Festspiele an. Einen Prospekt von unserem Hotel und über die verschiedenen Sehenswürdigkeiten haben wir gestern an Sie und Ihre Freunde geschickt.

Mit den besten Empfehlungen
Herbert Frankl
(Hoteldirektor)

b) 1. Freuen Sie sich? 2. Setzt ihr euch? 3. Kaufst du dir ein Auto? 4. Hat seine Frau (sie) sich gut erholt? (Hat sich seine Frau gut erholt?) 5. Können Sie sich erinnern? 6. Wollen Ihre Freunde (sie) sich zuerst umziehen? (Wollen sich Ihre Freunde zuerst umziehen?) 7. Hat ihr Bruder (er) sich Karten besorgt? (Hat sich ihr Bruder Karten besorgt?) 8. Schminkst du dich gern? 9. Legt Ihre Schwester (sie) sich immer die Haare? (Legt sich Ihre Schwester immer die Haare?).

c) 1. Ich möchte nicht, daß Sie mir die Haare zu kurz schneiden. 2. Wissen Sie, wann er ankommt? 3. Wir können nicht verreisen, weil wir kein Geld haben. 4. Ich habe vergessen, wie der Friseur heißt. 5. Er kommt, wenn er nichts Besseres zu tun hat. 6. Sie haben mir nicht gesagt, daß sie zum Friseur gegangen ist. 7. Ich habe nicht gewußt, daß er so gut wie verlobt ist.

d) 1. schönere 2. besseren 3. kürzere 4. gemütlichere 5. schnelleren 6. heißeren 7. kälteres.

e) 1. Ja, ich gehe morgen zum Friseur. 2. Ja, ich war (wir waren) diesen Sommer in München. 3. Ja, er (der Zug) kommt um 8.30 hier an. 4. Ja, wir wollen heute abend ins Theater gehen. 5. Ja, ich kann (wir können) nach dem Essen zu Ihnen kommen.

Puzzle: arbeiten; viel; weil; zum Oktoberfest; gefallen; kurz; Frisur; Besuch; Chef; Dauerwelle; färbt. – beim Friseur.

Crossword puzzle: across: 2. genug 4. Schluß
8. wie schade 10. los 11. Ihrer 12. schneiden 18. die Städte 20. stehe 21. neun 23. er 24. geehrte 27. und morgen blau 29. da 30. vierzehn Tage. *down:* 1. so weit 2. geehrte 3. nach rechts 4. *with 7 and 6 down:* sie sehen uns 5. Hilfe 9. Ausländer 13. -hütte 14. Deine Ursula 16. bestellen 17. freuen Sie 18. den Hund 19. er und 22. *with 15 across:* ein Geschäftsbrief 24. ganze 26. *with 25 across:* wohin 28. gar.

11

a) 1. aber 2. sondern 3. sondern 4. aber 5. sondern.

b) 1. Ich kann nicht rauchen, denn ich habe kein Feuer. 2. Sie geht zum Fotografen, weil sie Aufnahmen braucht. 3. Er kommt nicht zu uns, sondern wir gehen zu ihm. 4. Der Zug ist noch nicht eingelaufen, denn er hat Verspätung. 5. Sie wartet auf seinen Brief, aber er schreibt nicht. 6. Die Perücke steht ihr, weil sie zu ihren Augen paßt.

c) 1. Wir haben kein Zimmer reservieren können. 2. Warum hat er sie denn nicht überreden können? 3. Ich habe alles gut vorbereiten müssen. 4. Sie hat sich die Haare schneiden lassen. 5. Wir haben unser Auto hier nicht parken dürfen. 6. Er hat sie nie warten lassen.

d) 1. er läßt ihn schreiben. 2. ich lasse ihn bringen. 3. sie läßt sie machen 4. sie lassen alles (es) vorbereiten. 5. ich lasse (wir lassen) sie buchen. 6. er läßt Sie (dich) vom Flughafen abholen.

e) 1. Weil sie Aufnahmen braucht. 2. Weil sie nicht zu ihren Augen paßt. 3. Weil sie morgen nach New York fliegt. 4. Weil sie (morgen) in New York singen soll. 5. Weil sie packen und zum Friseur gehen muß.

Puzzle: Arbeit; sei; tut; bitte; freut; eilig; gnädige; nicht; schnell; viel; Mal; kann. — Bitte lächeln.

12

a) 1. jeder 2. jede 3. jedem 4. jeden 5. jeder 6. jedes.

b) 1. kein(e)s 2. meiner 3. Ihrer 4. eine 5. sein(e)s 6. keiner 7. meinen.

c) 1. Wir fahren in die Schweiz, um Ski zu

fahren. 2. Ich gehe in die Stadt, um mir ein Kleid zu kaufen. 3. Er bleibt zu Hause, um auf seine Frau zu warten. 4. Sie hat heute Zeit, um ihm zu schreiben. 5. Sie geht zum Fotografen, um sich fotografieren zu lassen. 6. Wir telefonierten mit dem Hotel, um ein Zimmer zu bestellen.

d) 1. Sie freut sich, daß sie endlich etwas von ihm hört. 2. Es ist schrecklich. Er muß so lange warten. 5. Sie will uns schreiben, aber sie hat nicht viel Zeit. 4. Warum machen Sie den Koffer nicht auf? 5. Er kann nicht kommen, weil er etwas anderes vorhat. 6. Ich weiß nicht, wem er das Paket bringt. 7. Man darf ihn nicht stören.

Puzzle: *i*hren Brief; *M*inute; *g*egangen ist; *R*einhart Wendenberg; *ü*bermorgen; *n*ett; *E*rfolg; *n*ach. − im Grünen.

* *

13

a) 1. Wo steht Peters Auto? 2. Dort liegt Mutters Hut. 3. Jürgens Tante wohnt in Köln. 4. Herr Eckert ist Herrn Müllers Freund. 5. Haben Sie Fräulein Kochs Adresse?

b) 1. Möchten Sie die Adresse der Dame? 2. Ich habe die Schwester Ihres Freundes getroffen. 3. Kennen Sie die Geschichte dieses jungen Mädchens? 4. Das ist das Porträt einer bekannten Sängerin. 5. Der Direktor dieser Firma ist sehr tüchtig. 6. Wissen Sie die Namen dieser Leute?

c) 1. Hier liegt die Zeitung unseres Chefs. 2. Geben Sie mir die Tasche meiner Freundin. 3. Ich habe die Geldbörse Ihrer Mutter gefunden. 4. Hier ist der Hut dieses Herrn. 5. Wie gefällt Ihnen das Zimmer des Direktors? 6. Wo sind die Koffer der Gäste?

d) Er wollte sie überreden. Er versuchte alles. Er lief ihr nach. Er rief sie jeden Tag im Büro an. Dann schrieb er ihr lange Briefe. Aber sie gab keine Antwort darauf. Sie machte sie nie auf. Sie sah ihn auch nicht mehr nach der Arbeit. Sie telefonierte auch nicht mit ihm. Warum? Weil sie genug von ihm hatte.

e) 1. Barbara (sie) ging durch den Stadtpark. 2. Der Dieb (er) war ein junger Mann. 3. Ein älterer Mann ging vorbei. 4. Sie soll ein zartes Mädchen sein. 5. Sie ist ein modernes,

selbständiges Mädchen. 6. Sie will zur Redaktion der ,,Illustrierten Woche" gehen.

* *

14

a) Daß er heute nicht zu Hause ist, hat mir keiner gesagt. 2. Weil sie kein Geld hat, verreist sie dieses Jahr nicht. 3. Warum er nicht geschrieben hat, verstehe ich nicht. 4. Wenn wir in der Stadt sind, gehen wir ins Reisebüro. 5. Wie alt seine Freundin ist, möchte ich gern wissen.

b) Als es ein Uhr war, ging ich in die Stadt. Als ich vor dem Restaurant stand, war er noch nicht da. Als er zehn Minuten später kam, war er nicht allein. Als ich sah, daß er mit einer Dame kam, wollte ich davonlaufen. Als ich versuchte, in das Geschäft nebenan zu gehen, war es zu spät. Als die Dame mich sah, lächelte sie. Als sie lächelte, erkannte ich sie sofort. Als ich wußte, daß es seine Schwester war, war ich glücklich.

c) 1. Er will heute abend zu Hause essen. 2. Er kauft im (in einem) Feinkostgeschäft ein. 3. Er kauft ein Pfund Tomaten, ein Paar Bratwürste, eine Flasche Öl und ein Erdbeereis für sich ein. 4. Für sich und seine Freundin kauft er zwei Pfund Tomaten, zwei Paar Bratwürste und zwei Erdbeereis, tiefgekühlte Fischsuppe und eine Flasche Wein ein. 5. Alles zusammen kostet zwölf (Mark) fünfundachtzig. 6. Das beste Essen schmeckt nicht, wenn man sich streitet. (Wenn man sich streitet, schmeckt das beste Essen nicht.)

Puzzle: stehenlassen; V*e*rabredung; j*e*d*e*n Skilehrer; ar*b*eitet; Fr*e*undin; ti*e*fgekühlte Fischsuppe; st*r*eiten; W*i*edersehen; F*ei*nkostgeschäft; Es*s*ig. − Erdbeereis.

* *

15

a) Ich fuhr mit dem Wagen meines Freundes aus der Stadt. Plötzlich sah ich, daß das Benzin fast alle war. Ich wußte nicht, wo die nächste Tankstelle war. Ich konnte keine sehen. Ich fuhr noch einen Kilometer weiter, aber dann mußte ich halten. Ich hatte Glück, denn in diesem Moment kam ein Polizeiwagen und hielt. Die Polizisten waren sehr nett und halfen mir sofort.

b) 1. Als ich sie letzte Woche sah, war sie sehr glücklich. 2. Wer ihr Freund ist, weiß jeder. 3. Weil ich sie nicht einlade, ärgern sie sich. 4. Was passiert ist, kann ich mir nicht vorstellen. 5. Daß er einen Unfall gehabt hat, hat er uns nicht erzählt. 6. Wenn wir einen Wagen brauchen, gehen wir zur Firma Dehmer. 7. Daß der Wagen noch nicht kaputt ist, kann er nicht verstehen. 8. Warum Sie nicht im Büro waren, wollte der Chef wissen.

c) 1. zwei Paar Bratwürste DM 2,30; 2. sieben Stück Kuchen DM 3,15; 3. zwei Tassen Kaffee DM 1,-; 4. vier Glas Bier DM 2,80; 5. zwei Flaschen Wein DM 9,50; 6. drei Schachteln Zigaretten DM 3,-. – einundzwanzig Mark fünfundsiebzig.

d) 1. Wann fahren Sie (fahrt ihr) in die Schweiz? 2. Wieviel Liter Benzin möchten Sie (möchtet ihr, möchtest du)? 3. Wofür ist das genug? 4. Womit will er lieber fahren? 5. Was für einen Wagen hat er gemietet? 6. Welcher Wagen hat ihm nicht gefallen? 7. Mit wem will er morgen verreisen? 8. Wie lange werden sie bleiben? 9. Wo (Bei wem) will er wohnen, wenn er zurück ist? 10. Wohin will sie, um zu studieren? 11. Warum können sie noch nicht heiraten? 12. Wen hat Ihr (dein) Mann zum Essen eingeladen?
Puzzle: Herr Lundt wollte in die Siegfriedstraße abbiegen.

Crossword puzzle: across: 1. Versicherung 9. rote Haare 10. teuer 11. ohne es 12. weg getan 13. Tag 15. im 16. zur 19. zusammenstoßen 20. viel Geld 21. liebes 25. eilig 27. es ist kalt 28. Brötchen 29. oft. *down:* 1. verlobt 2. raten 3. ich geb' ihm 4. Haar 5. rief er uns 6. nötige 7. Lustiges 14. gestellt 17. verliebt 18. wo mieten 19. zuviel 22. bravo! 23. setzt 24. *with 8 down:* sich erinnern 26. gar.

* *

16

a) 1. am schnellsten 2. am schönsten 3. am liebsten 4. am besten 5. am meisten.

b) 1. her 2. hin-, hin- 3. her- 4. hin- 5. -hin 6. her, -her.

c) 1. hinein 2. hinaus 3. herein 4. herauf 5. heraus 6. hinauf.

d) 1. zehn Minuten nach acht 2. neun (Punkt neun) (Uhr) 3. Viertel nach elf. 4. fünf nach halb sieben 5. zwanzig nach neun 6. halb zehn 7. Viertel nach zwölf.

e) 1. Um zehn nach sieben kommt der *Elektriker*. 2. √ 3. Der Maler will *die Türen* hellgelb malen. (Der Maler will die Wände *hellgrau* malen.) 4. Der Elektriker kommt, um *die Steckdose* zu reparieren. 5. √ 6. Erika wird *sich* morgen *verloben*. (Erika hat morgen nicht Geburtstag).

* *

17

a) 1. Verwandt*en* 2. Deutsch*en* 3. Verlobt*en* 4. Bekannt*er* 5. Nächst*e* 6. Deutsch*e*.

b) 1. Ich wünschte, Sie könnten mich abholen. 2. Ich wünschte, Sie hätten Zeit. 3. Ich wünschte, er wäre wieder da. 4. Ich wünschte, sie könnte mir einen Gefallen tun. 5. Ich wünschte, das Wetter wäre schön. 6. Ich wünschte, er hätte geheiratet. 7. Ich wünschte, wir könnten noch Karten bekommen. 8. Ich wünschte, Sie wären morgen zu Hause.

c) 1. das 2. die 3. den 4. dem 5. die 6. der.

d) 1. uns 2. euch 3. sich, sich 4. uns 5. sich 6. sich

e) 1. Er nennt seine Braut „mein Schatz". 2. Sie wünscht sich eine ganz kleine Wohnung (in Köln). 3. Jürgens Verwandte und Freunde sind in Köln. 4. Sie hat Herrn Müller zur Verlobungsfeier eingeladen. 5. Jürgen und Erika (sie) wollen ein Gläschen Sekt trinken. 6. Tante Anna hat einen Mietvertrag für sie. (Sie gibt ihnen ihre Wohnung.) 7. Erikas Eltern sind dagegen, daß sie sofort heiraten.

* *

18

a) 1. Wenn er da wäre, würde ich ihn einladen. 2. Ich würde gern kommen, wenn ich Zeit hätte. 3. Wir würden etwas essen, wenn wir Hunger hätten. 4. Wenn Sie uns anrufen könnten, würden wir uns freuen. 5. Wenn das Wetter schön wäre, würden wir in die Berge fahren. 6. Wenn Ihr Freund uns abholen könnte, würden wir im Hotel warten.

b) Die Stadt, *die* mir am besten gefällt, ist Berlin. Meine Freundin, mit *der* ich auf Urlaub dort war, findet es auch. Aber ihre Verwandten, *die* dort wohnen, möchten lieber in München leben. Sie suchen ein Haus, *das* im Grünen liegt und einen Garten hat, *der* nicht zuviel Arbeit macht. Die Häusermakler, mit *denen* ich gesprochen habe, versuchen, ein Haus für sie zu finden, *das* ihren Wünschen entspricht.

c) 1. Das Haus, das er verkaufen will, ist zu teuer. 2. Das Mädchen, das mein Freund heiraten möchte, ist nett. 3. Die Dame, die mich angerufen hat, ist eine bekannte Sängerin. 4. Der Kuchen, den ich in der Bäckerei gekauft habe, schmeckt herrlich. 5. Der Herr, auf den sie wartet, steht dort. 6. Mein Chef, mit dem ich etwas zu besprechen habe, ist nicht da.

d) 1. bleiben 2. wohnen (bleiben) 3. wohnen 4. lebt 5. bleiben.

e) 1. Herr Ziebland geht *Frau Bender* auf die Nerven. 2. Frau Bender würde der Garten *mit* Blumen besser gefallen. 3. Sie möchte einen Kamin in das (ins) *Wohnzimmer* einbauen lassen. 4. Die Leute, denen das Haus gehört, *wollen* es verkaufen. 5. Frau Bender würde (möchte) den Vertrag am liebsten *sofort* unterschreiben. 6. √ 7. √.

Puzzle: *e*ins; *r*echt; *R*uhe; *e*inen; *d*as; *e*s; *t*un; *v*iel; *i*mmer; *e*s; *L*etzte. — Er redet viel.

*   *

a) 1. Es wird hier jeden Abend getanzt. 2. Am Wochende wird nicht gearbeitet. 3. Von acht bis neun Uhr wird gefrühstückt. 4. Im Büro wird nicht telefoniert. 5. In Deutschland wird rechts gefahren. 6. Es werden keine langen Kleider mehr gekauft.

b) 1. Das Taxi wird bestellt. 2. Die Karten werden geschickt. 3. Die Geschichte wird keinem erzählt. 4. Der Brief wird sofort geschrieben. 5. Das Haus wird nicht verkauft. 6. Der Rock wird kürzer gemacht. 7. Alle Gäste werden eingeladen. 8. Das Paket wird auf die Post gebracht.

c) 1. in 2. nach 3. in 4. in, nach 5. an 6. zu 7. an.

Puzzle: *R*eitkurse; *H*albpension; *e*ingeladen; *i*nterviewen; *N*ordsee; *F*erienreisen; *A*benteuer; *H*ochzeitsreisen; *r*aucht; *T*asse. — Rheinfahrt.

*   *

20

a) 1. ein Kühlschrank 2. ein Fotoapparat 3. ein Sofa 4. ein Kamin 5. eine Uhr 6. eine Sonnenbrille 7. ein Vorhang 8. eine Wärmflasche 9. eine Perücke 10. ein Rock.

b) 1. Sie haben sie und ihn eingeladen. 2. Er hat ihm gesagt, daß er ihm helfen soll. 3. Hat sie etwas davon erzählt? 4. Gestern kam er und brachte sie. 5. Sie fangen an, es zu reparieren. 6. Er kommt damit, aber ohne sie. 7. Die Eltern von ihr haben viel dafür bezahlt. 8. Er hat sie danach gefragt.

c) Sie werden in einer Woche heiraten. Sie werden zuerst bei ihren Eltern wohnen. Das wird ihr sicher nicht gefallen. Aber im Sommer werden sie eine Wohnung mieten. Sie werden dann sofort einziehen. Später wird er sich vielleicht ein kleines Auto kaufen. Hoffentlich werden sie glücklich sein und (werden) sich keine Sorgen machen.

d) 1. Ich werde von ihm abgeholt. 2. Wir werden von dem (vom) Direktor eingeladen. 3. Er ist von ihr nicht gefragt worden. 4. Ihr werdet von uns angerufen. 5. Ihre Eltern werden von ihr nach Hause gebracht. 6. Der Dieb wird von dem Polizisten festgenommen.

e) 1. Kommen Sie (Komm) herauf! 2. Kommen Sie (Komm) herein! 3. Gehen Sie (Geh) hinein! 4. Wollen wir hinauffahren? (Fahren wir/Sie hinauf?/Fährst du hinauf?/Fahren Sie/fahr hinauf!) 5. Komm her! 6. Hinaus!

f) 1. ausgesehen 2. in die 3. in den 4. zur (zu der) (in die) 5. wohnen (bleiben) 6. macht, tut 7. wann 8. weil 9. doch 10. keinen.

g) in der Autowerkstatt; beim Friseur; im Schallplattengeschäft; im Milchgeschäft (in der Meierei); in der Bäckerei; im (auf dem) Standesamt; in der Kirche; den Polterabend; an den Bodensee.

Crossword puzzle: across: 1. Handwerker 5. halb 8. immer langsam 11. da 12. Hut 13. um neun 14. es 17. neu sind 19. letzter 20. ärgert euch nicht 22. sag du 23. na 24. bis 27. wir 28. gibt 29. das Wetter 32. den Häusermakler. *down:* 1. heißen 2. nimm 3. warum 4. eigentlich 6. am 7. Bratwürste 9. abend 10. Agenten 11. du 15. ausgegeben 16. Stück 18. Irrtum 21. ein Haus 22. sag 25. ist da 26. mir 27. weil 30. wer 31. er.

*   *

Reference Section

Pattern of der/die/das . . . dieser/ diese/dieses

hier ist — der Mann / dieser Mann   hier ist — die Dame / diese Dame   hier ist — das Kind / dieses Kind

ich sehe — den Mann / diesen Mann   ich sehe — die Dame / diese Dame   ich sehe — das Kind / dieses Kind

ich helfe — dem Mann / diesem Mann   ich helfe — der Dame / dieser Dame   ich helfe — dem Kind / diesem Kind

der Name — des Mannes / dieses Mannes   der Name — der Dame / dieser Dame   der Name — des Kind(e)s / dieses Kind(e)s

plural:

hier sind — die Männer / diese Männer   hier sind — die Damen / diese Damen   nier sind — die Kinder / diese Kinder

ich sehe — die Männer / diese Männer   ich sehe — die Damen / diese Damen   ich sehe — die Kinder / diese Kinder

ich helfe — den Männern / diesen Männern   ich helfe — den Damen / diesen Damen   ich helfe — den Kindern / diesen Kindern

die Namen — der Männer / dieser Männer   die Namen — der Damen / dieser Damen   die Namen — der Kinder / dieser Kinder

jeder (in the singular) and *welcher* follow the same pattern.

Pattern of ein/eine . . . kein/keine

hier ist — (k)ein Mann   hier ist — (k)eine Dame   hier ist — (k)ein Kind

ich sehe — (k)einen Mann   ich sehe — (k)eine Dame   ich sehe — (k)ein Kind

ich helfe — (k)einem Mann   ich helfe — (k)einer Dame   ich helfe — (k)einem Kind

der Name — (k)eines Mannes   der Name — (k)einer Dame   der Name — (k)eines Kind(e)s

plural:

hier sind / ich sehe — keine Männer   hier sind / ich sehe — keine Damen   hier sind / ich sehe — keine Kinder

ich helfe — keinen Männern   ich helfe — keinen Damen   ich helfe — keinen Kindern

die Namen — keiner Männer   die Namen — keiner Damen   die Namen — keiner Kinder

mein, dein, sein, ihr, unser, euer, Ihr follow the same pattern.

Pattern of nouns

In the singular nouns with *der* and *das* change after *des . . . eines*, etc. and add *–(e)s*:

der Mann → des Mannes   das Auto → des Autos

A few nouns change by adding *–n* or *–en* after *den/dem* and *des* (indicated in brackets in the word lists):

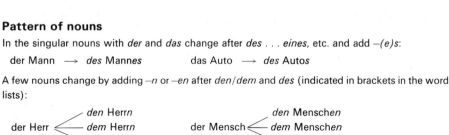

der Herr — den Herrn / dem Herrn / des Herrn   der Mensch — den Menschen / dem Menschen / des Menschen

Some nouns change like adjectives (indicated in brackets in the word lists):

der Bekannte → ein Bekannter   der Deutsche → ein Deutscher

Most nouns change in the plural. They take an ending and sometimes an umlaut. After *den* . . . *keinen* etc. they add −*n*, except those nouns which have −*n* or −*s* in the plural:

der Mann *pl.* die Männer   die Frau *pl.* die Frauen   das Auto *pl.* die Autos
den Männern   den Frauen   den Autos

Pattern of der/er . . . die/sie . . . das/es

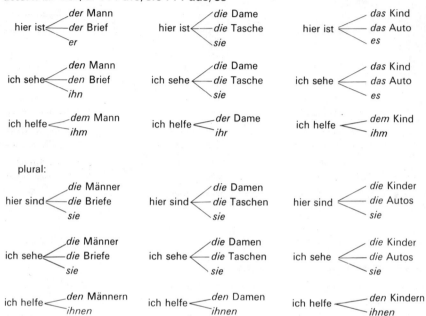

plural:

Note: *das Fräulein, das Mädchen* are usually referred to as *sie*, not *es*.

Pattern of ich/mich/mir . . . er/ihn/ihm

ich komme	*du* kommst	*er* kommt	*sie* kommt	*es* kommt
er sieht *mich*	er sieht *dich*	er sieht *ihn*	er sieht *sie*	er sieht *es*
er hilft *mir*	er hilft *dir*	er hilft *ihm*	er hilft *ihr*	er hilft *ihm*

wir kommen	*ihr* kommt	*Sie* kommen	*sie* kommen
er sieht *uns*	er sieht *euch*	er sieht *Sie*	er sieht *sie*
er hilft *uns*	er hilft *euch*	er hilft *Ihnen*	er hilft *ihnen*

Pattern of ich/mich . . . er/sich *and* ich/mir . . . er/sich

sich freuen

ich freue *mich*	du freust *dich*	er, sie, es freut *sich*	man freut *sich*
wir freuen *uns*	ihr freut *euch*	Sie freuen *sich*	sie freuen *sich*

sich etwas kaufen

ich kaufe *mir* etwas	du kaufst *dir* etwas	er, sie, es kauft *sich* etwas	man kauft *sich* etwas
wir kaufen *uns* etwas	ihr kauft *euch* etwas	Sie kaufen *sich* etwas	sie kaufen *sich* etwas

Note: *sich* is also used with *es* and *man*.

Pattern of adjectives

<table>
<tr><td colspan="6">before nouns without der/die/das . . . ein/eine, etc.:</td></tr>
<tr><td>das ist</td><td>billiger Wein . . .</td><td>billige Butter . . .</td><td colspan="3">billiges Obst</td></tr>
<tr><td>ich kaufe</td><td>billigen Wein . . .</td><td>billige Butter . . .</td><td colspan="3">billiges Obst</td></tr>
<tr><td>mit</td><td>billigem Wein . . .</td><td>billiger Butter . . .</td><td colspan="3">billigem Obst</td></tr>
<tr><td>plural:</td><td></td><td></td><td></td></tr>
<tr><td>das sind</td><td>billige Schuhe . . .</td><td>billige Taschen . . .</td><td colspan="3">billige Kleider</td></tr>
<tr><td>ich kaufe</td><td>billige Schuhe . . .</td><td>billige Taschen . . .</td><td colspan="3">billige Kleider</td></tr>
<tr><td>mit</td><td>billigen Schuhen . . .</td><td>billigen Taschen . . .</td><td colspan="3">billigen Kleidern</td></tr>
</table>

<table>
<tr><td colspan="6">after der/die/das → die:</td></tr>
<tr><td>das ist</td><td>der billige Hut . . .</td><td>die billige Tasche . . .</td><td>das billige Kleid</td></tr>
<tr><td>ich kaufe</td><td>den billigen Hut . . .</td><td>die billige Tasche . . .</td><td>das billige Kleid</td></tr>
<tr><td>mit</td><td>dem billigen Hut . . .</td><td>der billigen Tasche . . .</td><td>dem billigen Kleid</td></tr>
<tr><td>der Preis</td><td>des billigen Hut(e)s . . .</td><td>der billigen Tasche . . .</td><td>des billigen Kleid(e)s</td></tr>
<tr><td>plural:</td><td></td><td></td><td></td></tr>
<tr><td>das sind</td><td>die billigen Hüte . . .</td><td>die billigen Taschen . . .</td><td>die billigen Kleider</td></tr>
<tr><td>ich kaufe</td><td>die billigen Hüte . . .</td><td>die billigen Taschen . . .</td><td>die billigen Kleider</td></tr>
<tr><td>mit</td><td>den billigen Hüten . . .</td><td>den billigen Taschen . . .</td><td>den billigen Kleidern</td></tr>
<tr><td>der Preis</td><td>der billigen Hüte . . .</td><td>der billigen Taschen . . .</td><td>der billigen Kleider</td></tr>
</table>

After *dieser, jeder, welcher* the pattern is the same.

<table>
<tr><td colspan="6">after (k)ein/(k)eine →keine:</td></tr>
<tr><td>das ist</td><td>ein billiger Hut . . .</td><td>eine billige Tasche . . .</td><td>ein billiges Kleid</td></tr>
<tr><td>ich kaufe</td><td>einen billigen Hut . . .</td><td>eine billige Tasche . . .</td><td>ein billiges Kleid</td></tr>
<tr><td>mit</td><td>einem billigen Hut . . .</td><td>einer billigen Tasche . . .</td><td>einem billigen Kleid</td></tr>
<tr><td>der Preis</td><td>eines billigen Hut(e)s . . .</td><td>einer billigen Tasche . . .</td><td>eines billigen Kleid(e)s</td></tr>
<tr><td>plural:</td><td></td><td></td><td></td></tr>
<tr><td>das sind</td><td>keine billigen Hüte . . .</td><td>keine billigen Taschen . . .</td><td>keine billigen Kleider</td></tr>
<tr><td>ich kaufe</td><td>keine billigen Hüte . . .</td><td>keine billigen Taschen . . .</td><td>keine billigen Kleider</td></tr>
<tr><td>mit</td><td>keinen billigen Hüten . . .</td><td>keinen billigen Taschen . . .</td><td>keinen billigen Kleidern</td></tr>
<tr><td>die Preise</td><td>keiner billigen Hüte . . .</td><td>keiner billigen Taschen . . .</td><td>keiner billigen Kleider</td></tr>
</table>

After *mein, dein, sein, ihr, unser, euer, Ihr* the pattern is the same.

Note: some adjectives alter slightly when they come before a noun:

hoch: der hohe Berg, ein hoher Berg   rechts: die rechte Hand, meine rechte Hand

teuer: das teure Kleid, ein teures Kleid   links: der linke Schuh, sein linker Schuh

Adjectives after the noun never change:

Der Kaffee ist gut.   Die Butter ist gut.   Das Obst ist gut.   Die Tomaten sind gut.

Comparisons

schnell —→ schneller —→ der schnellste   langsam —→ langsamer —→ der langsamste

Adjectives ending in *−er* drop *e* in the *−er* form; others, especially those ending in *−s, −ß, −t, −z*, add *e* in the *−ste* form:

teuer —→ teu*rer* —→ der teuerste   heiß —→ heißer —→ der heiß*este*

Some take an *umlaut* (marked in brackets in the word lists):

alt —→ älter —→ der älteste   jung —→ jünger —→ der jüngste

Slightly irregular:

groß —→ größer —→ der größte   hoch —→ höher —→ der höchste   nah —→ näher —→ der nächste

Completely irregular:

gut —→ besser —→ der beste

für . . . mit . . . in

für, durch, ohne

After these *der* —→ *den, ein* —→ *einen*:

für *den* Mann	für die Dame	für das Mädchen
für *einen* Mann	für eine Dame	für ein Mädchen

They are followed by *mich, ihn*, etc.:

ohne mich . . . ohne dich . . . ohne ihn . . . ohne sie . . . ohne uns . . . ohne euch . . . ohne Sie

mit, von, zu, bei, nach, aus

After these *der/das* —→ *dem, ein/eine* —→ *einem/einer, die* (pl.) —→ *den, keine* (pl.) —→ *keinen*:

mit *dem* Mann	mit *der* Dame	mit *dem* Mädchen
mit *den* Männern	mit *den* Damen	mit *den* Mädchen
von *einem* Mann	von *einer* Dame	von *einem* Mädchen
von *keinen* Männern	von *keinen* Damen	von *keinen* Mädchen

They are followed by *mir, ihm*, etc.:

zu mir . . . zu dir . . . zu ihm . . . zu ihr . . . zu uns . . . zu euch . . . zu Ihnen . . . zu ihnen

in, an, auf, vor, neben, über

These follow the pattern of *für* when describing where a person or thing is moving to:

Er geht in *den* Gang . . .	in die Stadt . . .	in das (ins) Kino.
Er geht an *den* Schalter . . .	an die Tür . . .	an das (ans) Fenster.
Er will auf *den* Parkplatz . . .	auf die Straße . . .	auf das Standesamt.
Er stellt es vor *den* Ausgang . . .	vor die Tür . . .	vor das Zimmer.
Er legt es neben *den* Koffer . . .	neben die Tasche . . .	neben das Gepäck.
Er hängt es über *den* Ausgang . . .	über die Tür . . .	über das Sofa.

When describing where a person or thing is, the pattern is the same as for *mit*:

Er ist in *dem* (*im*) Gang . . .	in *der* Stadt . . .	in *dem* (*im*) Kino.
Er steht an *dem* (*am*) Schalter . . .	an *der* Tür . . .	an *dem* (*am*) Fenster.
Er ist auf *dem* Parkplatz . . .	auf *der* Straße . . .	auf *dem* Standesamt.
Er steht vor *dem* Ausgang . . .	vor *der* Tür . . .	vor *dem* Zimmer.
Es liegt neben *dem* Koffer . . .	neben *der* Tasche . . .	neben *dem* Gepäck.
Es hängt über *dem* Ausgang . . .	über *der* Tür . . .	über *dem* Sofa.

Note: these words are marked (+ *den*), (+ *dem*), (+ *den* or *dem*) in the glossary.

Verbs

Basic patterns for the present

	with *umlaut*	with vowel change		irregular	
kaufen	fahren	sehen	sprechen	haben	sein
ich kaufe	ich fahre	ich sehe	ich spreche	ich habe	ich *bin*
du kaufst	du fährst	du s*ie*hst	du spr*i*chst	du *hast*	du *bist*
er, sie, es kauft	er, sie, es fährt	er, sie, es s*ie*ht	er, sie, es spr*i*cht	er, sie, es *hat*	er, sie es *ist*
wir kaufen	wir fahren	wir sehen	wir sprechen	wir haben	wir *sind*
ihr kauft	ihr fahrt	ihr seht	ihr sprecht	ihr habt	ihr *seid*
Sie kaufen	Sie fahren	Sie sehen	Sie sprechen	Sie haben	Sie *sind*
sie kaufen	sie fahren	sie sehen	sie sprechen	sie haben	sie *sind*

Commands

to a person you call *Sie*:

Kaufen Sie!　Fahren Sie!　Sehen Sie!　Sprechen Sie!　Haben Sie!　Seien Sie!

to a person you call *du* (*du* is dropped and usually the ending as well, but there is no *umlaut*):

Kauf!　　　Fahr!　　　Sieh!　　　Sprich!　　　Hab!　　　Sei!

to people you call *ihr* (*ihr* is omitted):

Kauft!　　　Fahrt!　　　Seht!　　　Sprecht!　　　Habt!　　　Seid!

These verbs follow a slightly different pattern

dürfen	können	müssen	sollen	wollen	werden	wissen
ich darf	ich kann	ich muß	ich soll	ich will	ich werde	ich weiß
du darfst	du kannst	du mußt	du sollst	du willst	du wirst	du weißt
er ⎫	er ⎫	er ⎫	er ⎫	er ⎫	er ⎫	er ⎫
sie ⎬ darf	sie ⎬ kann	sie ⎬ muß	sie ⎬ soll	sie ⎬ will	sie ⎬ wird	sie ⎬ weiß
es ⎭	es ⎭	es ⎭	es ⎭	es ⎭	es ⎭	es ⎭
wir dürfen	wir können	wir müssen	wir sollen	wir wollen	wir werden	wir wissen
ihr dürft	ihr könnt	ihr müßt	ihr sollt	ihr wollt	ihr werdet	ihr wißt
Sie dürfen	Sie können	Sie müssen	Sie sollen	Sie wollen	Sie werden	Sie wissen
sie dürfen	sie können	sie müssen	sie sollen	sie wollen	sie werden	sie wissen

With *dürfen, können, müssen, wollen, sollen, werden* the verb saying what you may, can, must, want, are supposed to do, or will do comes at the end of the sentence (e.g. *Ich darf nicht viel trinken.—Er wird jetzt kommen.*) The same applies to verbs with *möchte . . . möchten* (e.g. *Ich möchte nicht viel trinken.*)

Basic patterns for the past

Past form mostly used in everyday speech

haben + ge – – – t	*haben + ge – – – en*	*haben + – – – t*	*haben + – – – en*
kaufen	sehen	bestellen	beginnen
ich habe gekauft	ich habe gesehen	ich habe bestellt	ich habe begonnen
du hast gekauft	du hast gesehen	du hast bestellt	du hast begonnen
er, sie, es hat gekauft	er, sie, es hat gesehen	er, sie, es hat bestellt	er, sie, es hat begonnen
wir haben gekauft	wir haben gesehen	wir haben bestellt	wir haben begonnen
ihr habt gekauft	ihr habt gesehen	ihr habt bestellt	ihr habt begonnen
Sie haben gekauft	Sie haben gesehen	Sie haben bestellt	Sie haben begonnen
sie haben gekauft	sie haben gesehen	sie haben bestellt	sie haben begonnen

*sein instead of *haben* is used with verbs expressing movement, such as *fahren, kommen, laufen*; also with *bleiben, passieren, sein, werden*, e.g.:

ich bin gefahren   ich bin geblieben   es ist passiert   ich bin gewesen   ich bin geworden

Verbs with the *g – – – t* and *– – – t* forms rarely have a vowel or consonant change. (Exceptions are included in the list on the opposite page).

Verbs with the *ge – – – en* and *– – – en* forms often change the vowel and sometimes consonants (see list on opposite page).

With verbs that separate (see also opposite page) *-ge-* comes between the 1st and 2nd part, e.g.:

   ich habe ein*ge*kauft   ich habe nach*ge*sehen   ich bin aus*ge*gangen

The form of the past which combines with *haben* or *sein* is generally preferred in everyday speech. Main exceptions are:

wollen	sein
ich wollte (*wanted to*)	ich war (*was*)
du wolltest	du warst
er, sie, es wollte	er, sie, es war
wir wollten	wir waren
ihr wolltet	ihr wart
Sie wollten	Sie waren
sie wollten	sie waren
The preference for this form also applies to *dürfen (durfte), können (konnte), müssen (mußte)*, and often to *wissen (wußte)* and *haben (hatte)*.	*war* and *ist gewesen* are virtually interchangeable; their use varies from region to region; in writing *war* is preferred.

Past form mostly used in reporting and writing

In the past form used for writing and reporting, verbs which combine *haben* or *sein* with *(ge) – – – t* follow the pattern of *wollte*:	Those with *(ge) – – – en* follow the pattern of *war*, and change the vowel and sometimes consonants (see list on opposite page):
kaufen ⟶ gekauft	kommen ⟶ gekommen
ich kaufte (*bought*)	ich kam (*came*)
du kauftest, usw.	du kamst, usw.

werden

future	passive (present)	passive (past)
ich werde kommen	ich werde gefragt	ich bin gefragt worden . . . wurde gefragt
du wirst kommen	du wirst gefragt	du bist gefragt worden . . . wurdest gefragt
er ⎫ sie ⎬ wird kommen es ⎭	er ⎫ sie ⎬ wird gefragt es ⎭	er ⎫ sie ⎬ ist gefragt worden . . . wurde gefragt es ⎭
wir werden kommen	wir werden gefragt	wir sind gefragt worden . . . wurden gefragt
ihr werdet kommen	ihr werdet gefragt	ihr seid gefragt worden . . . wurdet gefragt
Sie werden kommen	Sie werden gefragt	Sie sind gefragt worden . . . wurden gefragt
sie werden kommen	sie werden gefragt	sie sind gefragt worden . . . wurden gefragt

Verbs that separate

The first part comes at the end of a simple sentence, a question or a command:

ein|kaufen: Ich kaufe (kaufte) auf dem Markt *ein*. aus|gehen: Ich gehe (ging) mit ihr *aus*.

      Wo kaufen Sie heute *ein*?   Wann geht sie morgen *aus*?

      Kaufen Sie für mich *ein*!   Bitte gehen Sie mit uns *aus*!

After *dürfen, können, müssen, sollen, wollen, werden* and *möchte(n)* they remain joined:

      Ich kann nicht alles *einkaufen*.   Ich möchte gern *ausgehen*.

      Müssen Sie morgen *einkaufen*?   Mit wem wirst du *ausgehen*?

They also remain joined after *daß, wenn, weil, als, bevor, seit*, and in indirect questions:

      Er hofft, daß ich für ihn *einkaufe*.   Sagen Sie mir, wann Sie *ausgehen*.

When they combine with *haben* or *sein* to refer to the past -ge- comes between the 1st and 2nd part:

      Ich habe gestern *eingekauft*.   Wir sind mit Freunden *ausgegangen*.

Verbs that separate begin with *ab–, an–, auf–, aus–, ein–, fort–, zurück–*, etc. They are stressed on the first part.

Verbs with vowel and consonant changes

(Verbs that separate follow the pattern of the 'parent' verb.)

	vowel change (with *er, sie, es*)	past (in writing, etc.)	past (in everyday speech)
beginnen *to begin*	—	begann	hat begonnen
bekommen *to get, obtain*	—	bekam	hat bekommen
biegen *to turn (corner)*	—	bog	*ist* gebogen
bieten *to offer*	—	bot	hat geboten
bitten *to request*	—	bat	hat gebeten
bleiben *to stay*	—	blieb	*ist* geblieben
braten *to fry*	brät	briet	hat gebraten
bringen *to bring*	—	*brachte	hat gebracht
denken *to think*	—	*dachte	hat gedacht
dürfen *to be allowed to*	darf	*durfte	hat gedurft
entreißen *to snatch*	—	entriß	hat entrissen
entsprechen *to correspond*	entspricht	entsprach	hat entsprochen
erkennen *to recognise*	—	erkannte	hat erkannt
essen *to eat*	ißt	aß	hat gegessen
fahren *to go, drive*	fährt	fuhr	*ist* gefahren
fangen *to catch*	fängt	fing	hat gefangen
finden *to find*	—	*fand	hat gefunden
fliegen *to fly*	—	flog	*ist* geflogen
frieren *to freeze*	—	fror	hat gefroren

geben *to give*	gibt	*gab	hat gegeben
gefallen *to like, please*	gefällt	gefiel	hat gefallen
gehen *to go*	—	*ging	*ist* gegangen
haben *to have*	hat	*hatte	hat gehabt
heben *to lift*	—	hob	hat gehoben
halten *to stop*	hält	hielt	hat gehalten
helfen *to help*	hilft	half	hat geholfen
heißen *to be called*	—	hieß	hat geheißen
kennen *to know*	—	kannte	hat gekannt
klingen *to sound*	—	klang	hat geklungen
kommen *to come*	—	*kam	*ist* gekommen
können *to be able to*	kann	*konnte	hat gekonnt
laden *to summon*	lädt	lud	hat geladen
lassen *to leave*	läßt	*ließ	hat gelassen
laufen *to run*	läuft	lief	*ist* gelaufen
lesen *to read*	liest	las	hat gelesen
liegen *to lie*	—	*lag	hat gelegen
müssen *to have to*	muß	*mußte	hat gemußt
nehmen *to take*	nimmt	*nahm	hat genommen
nennen *to call*	—	nannte	hat genannt
raten *to guess*	rät	riet	hat geraten
rufen *to call*	—	rief	hat gerufen
schieben *to push*	—	schob	hat geschoben
schmelzen *to melt*	schmilzt	schmolz	*ist* geschmolzen
schneiden *to cut*	—	schnitt	hat geschnitten
schreiben *to write*	—	*schrieb	hat geschrieben
schwimmen *to swim*	—	schwamm	ist geschwommen
sehen *to see*	sieht	*sah	hat gesehen
sein *to be*	ist	*war	*ist* gewesen
singen *to sing*	—	sang	hat gesungen
sitzen *to sit*	—	*saß	hat gesessen
sprechen *to speak*	spricht	sprach	hat gesprochen
stoßen *to encounter*	stößt	stieß	*ist* gestoßen
stehen *to stand*	—	*stand	hat gestanden
steigen *to climb, rise*	—	stieg	*ist* gestiegen
streiten *to quarrel*	—	stritt	hat gestritten
tragen *to wear, carry*	trägt	trug	hat getragen
treffen *to meet*	trifft	traf	hat getroffen
treten *to tread*	tritt	trat	*ist* getreten
trinken *to drink*	—	trank	hat getrunken
tun *to do*	—	tat	hat getan
verbinden *to connect*	—	verband	hat verbunden
verbringen *to spend*	—	verbrachte	hat verbracht
vergessen *to forget*	vergißt	vergaß	hat vergessen
verlieren *to lose*	—	verlor	hat verloren
verstehen *to understand*	—	verstand	hat verstanden
werden *to become*	wird	*wurde	*ist* geworden
werfen *to throw*	wirft	warf	hat geworfen
wissen *to know*	weiß	*wußte	hat gewußt
ziehen *to pull/move*	—	zog	hat/ist gezogen

(*These forms are also frequently used in spoken German)

Word order

Basic word order in a sentence:

Er	*schreibt*	jetzt	einen Brief.	
Er	*will*	jetzt	einen Brief	schreiben.
Er	*hat*	heute	einen Brief	geschrieben.
Er	*ruft*	seinen Freund	um elf	an.
Er	*braucht*	seinem Freund	nicht	zu schreiben.

But if the sentence begins with something else — often for emphasis — the order is as follows:

Jetzt	*schreibt*	er	einen Brief.	
Jetzt	*will*	er	einen Brief	schreiben.
Heute	*hat*	er	einen Brief	geschrieben.
Um elf	*ruft*	er	seinen Freund	an.
Heute	*braucht*	er	seinem Freund nicht	zu schreiben.

und, aber, oder, denn, sondern do not affect the word order (e.g. . . . aber er schreibt einen Brief. — . . . denn er ruft seinen Freund an.)

In questions:

	Schreibt	er	jetzt einen Brief?	
Warum	will	er	jetzt einen Brief	schreiben?

---

nicht

at the end of a simple sentence, question or command:

> Er schreibt den Brief jetzt *nicht.*
> Warum kommen Sie denn *nicht?*
> Fragen Sie mich *nicht!*

before the word saying what you may, can, must, want, would like, are supposed or going to do, or have done:

> Er will den Brief jetzt *nicht* schreiben.
> Er hat den Brief *nicht* geschrieben.

before the first part of a verb that separates:

> Er ruft seinen Freund *nicht* an.

before a particular word you want to negate:

> Er schreibt den Brief *nicht gleich.*
> Warum haben Sie das *nicht früher* gesagt?
> Schreiben Sie den Brief *nicht im Büro!*

Note that *nicht* does not come before the verb form.

Be careful to distinguish between *nicht* = 'not' (e.g. Er schreibt den Brief *nicht.*) and *kein/keine* = 'not a, not any, no' (e.g. Er schreibt *keinen* Brief.)

Time . . . manner . . . place

	when	*how*	*where*
Wir fahren	nächste Woche	mit dem Zug	nach London.
Er fährt	jetzt	schnell	ins Büro.
Kommen Sie doch	heute abend	mit Ihrem Freund	zu uns!

Person . . . thing

When you say what you are giving, telling, conveying, writing, etc. to a person, e.g. with *sagen, erzählen, schreiben, schicken, geben, bringen,* you state the person before the thing:

	person	*thing*
Er gibt	seiner Freundin . . . ihr	einen Wagen.
Ich möchte	dem Herrn . . . ihm	das Hotel zeigen.
Wir erzählen	den Kindern . . . ihnen	die Geschichte.

But if the thing is replaced by *ihn/sie/es* or *sie* (pl.), it generally comes before the person:

	thing	*person*
Er gibt	ihn	seiner Freundin . . . ihr.
Ich möchte	es	dem Herrn . . . ihm zeigen.
Wir erzählen	sie	den Kindern. . . . ihnen.

After *daß, wenn, weil, als, bevor, seit*

After these the verb form stands at the end:

> Ich weiß, *daß* er den Brief jetzt *schreibt.*
> Er braucht Papier, *weil* er einen Brief schreiben *will.*
> Er schreibt den Brief, *wenn* er Zeit *hat.*

The same word order applies to indirect questions introduced by *wer, wo, was, wer, wann,* etc:

> Ich weiß nicht, *was* er seinem Freund *schreibt.*
> Wissen Sie, *wann* er den Brief geschrieben *hat?*

If a sentence starts with *daß, wenn, weil, als, bevor, seit* or an indirect question, the second part of the sentence begins with the verb form:

> Weil er einen Brief schreiben *will,* braucht er Papier.
> Wenn er Zeit *hat, schreibt* er den Brief.

German pronunciation of alphabet

a = ah	j = jot	s = ess
b = beh	k = kah	t = teh
c = zeh	l = ell	u = uh
d = deh	m = emm	v = vau
e = eh	n = enn	w = weh
f = eff	o = oh	x = ix
g = geh	p = peh	y = üpsilon
h = hah	q = kuh	z = zet
i = ih	r = err	

Buchstabiertafel

A = Anton	**J = Julius**	**S = Samuel**
Ä = Ärger	**K = Kaufmann**	**Sch = Schule**
B = Berta	**L = Ludwig**	**T = Theodor**
C = Cäsar	**M = Martha**	**U = Ulrich**
Ch = Charlotte	**N = Nordpol**	**Ü = Übermut**
D = Dora	**O = Otto**	**V = Viktor**
E = Emil	**Ö = Ökonom**	**W = Wilhelm**
F = Friedrich	**P = Paula**	**X = Xanthippe**
G = Gustav	**Q = Quelle**	**Y = Ypsilon**
H = Heinrich	**R = Richard**	**Z = Zacharias**
I = Ida		

Glossary

A

ab|biegen ([bog ab], ist abgebogen) *to turn off*

der Abend(–e) *evening*

abends *in the evening(s)*

die Abendstunde(–n) *evening hour*

das Abenteuer(–) *adventure*

aber *but*

ab|holen (abgeholt) *to fetch, meet, collect*

ab|legen (abgelegt) *to take one's coat off*

das Abonnement(–s) *(pron. the French way) season ticket*

ach! *oh!, oh dear!*

acht *eight*

achte *eighth*

Achtung! *attention!*

achtzig *eighty*

die Adresse(–n) *address*

der Agent(–en) (den/dem Agenten) *agent*

alle *all, all the; finished, all used up*

allein *alone*

alles *everything, all*

als *as, when, than*

also *well then, so*

alt (ä) *old*

am (= an dem) *at the*

Amerika *America*

das Amt(–er) *position, post*

an (+ den *or* dem) *to, at*

an|bieten ([bot an], angeboten) *to offer*

andere *other, different*

sich ändern (geändert) *to alter, change*

anders *different(ly)*

an|fangen (fängt an, [fing an], angefangen) *to start*

an|geben (gibt an, [gab an], angegeben) *to show off*

das Angebot(–e) *offer*

die Angst(–e) *fear*

sich (etwas) an|hören (angehört) *to listen to (something)*

an|kommen ([kam an], ist angekommen) *to arrive*

die Ankunft(–e) *arrival*

an|machen (angemacht) *to dress (salad)*

sich an|melden (angemeldet) *to make an appointment*

der Anorak(–s) *anorak*

an|rufen ([rief an], angerufen) *to ring up*

ans (= an das) *to the*

sich (etwas) an|sehen (sieht an, [sah an], angesehen) *to have a look at (something)*

die Antwort(–en) *answer, reply*

antworten (geantwortet) *to answer, reply*

sich an|ziehen ([zog an], angezogen) *to get dressed*

der Apfel(–) *apple*

der Apparat(–e) *telephone, apparatus*

der Appetit *appetite*

der April *April*

die Arbeit(–en) *work*

arbeiten (gearbeitet) *to work*

das Arbeitsamt(–er) *employment office*

die Arbeitsvermittlung *employment agency*

ärgern (geärgert) *to annoy*

sich ärgern (geärgert) *to get, be annoyed*

die Arie(–n) *aria*

der Artikel(–) *article*

der Assistent(–en) (den/dem Assistenten) *assistant*

auch *also, too*

auf (+ den *or* dem) *on, onto, at*

die Aufführung(–en) *performance*

auf|geben (gibt auf, [gab auf], aufgegeben) *to give up; post*

auf|heben ([hob auf], aufgehoben) *to pick up*

auf|machen (aufgemacht) *to open*

die Aufnahme(–n) *photograph*

auf|nehmen (nimmt auf, [nahm auf], aufgenommen) *to take down (details), record*

auf|passen (aufgepaßt) *to be careful, pay attention; (auf + den) to look after, take care of*

aufregend *exciting*

die Aufregung(–en)   *excitement*
auf|setzen (aufgesetzt)   *to put on*
der Auftritt(–e)   *entrance on stage, call*
das Auge(–n)   *eye*
der August   *August*
aus (+ dem)   *from (before place names); out of*
aus|füllen (ausgefüllt)   *to fill in*
der Ausgang(–̈e)   *exit*
aus|geben (gibt aus, [gab aus], ausgeben)   *to spend (money)*
aus|gehen ([ging aus], ist ausgegangen)   *to go out*
aus|helfen (hilft aus, [half aus], ausgeholfen)   *to help out*
sich aus|kennen ([kannte aus], ausgekannt)   *to know one's way around*
die Auskunft(–̈e)   *information*
das Auskunftsbüro(–s)   *information bureau*
der Ausländer(–)   *foreigner*
der Auslöser(–)   *release button (on camera)*
aus|packen (ausgepackt)   *to unpack*
aus|rasieren (ausrasiert)   *to tidy up the back of the neck*
aus|sehen (sieht aus, [sah aus], ausgesehen)   *to look (well, nice, etc.)*
aus|suchen (ausgesucht)   *to select, choose*
ausverkauft   *sold out*
das Auto(–s)   *car*
der Autofahrer(–)   *car driver*
die Autowerkstatt(–̈en)   *garage*

B

die Bäckerei(–en)   *baker's shop*
das Bad(–̈er)   *bath, bathroom*
das Badezimmer(–)   *bathroom*
der Bahnhof(–̈e)   *railway station*
die Bahnsteigkarte(–n)   *platform ticket*
bald   *soon*
die Banane(–n)   *banana*
der Baum(–̈e)   *tree*
bayerisch   *Bavarian*
beantworten (beantwortet)   *to answer, reply to*
die Bedingung(–en)   *condition*
sich beeilen (beeilt)   *to hurry up*
begeistert   *enthusiastic*
beginnen ([begann], begonnen)   *to begin*

begrüßen (begrüßt)   *to greet, say 'hello' to*
bei (+ dem)   *at (the place of), next to, by, with*
beim (= bei dem)   *at the, next to the, by the*
das Beispiel(–e)   *example*
zum Beispiel (z.B.)   *for example (e.g.)*
bekannt   *well-known*
der Bekannte(–n) (ein Bekannter)   *acquaintance, friend*
bekommen ([bekam], bekommen)   *to get, obtain, receive*
belegt   *booked, occupied*
der Belichtungsmesser(–)   *exposure meter*
die Belichtungszeit(–en)   *exposure time*
beliebt   *popular*
sich benehmen (benimmt, [benahm], benommen)   *to behave*
das Benzin   *petrol*
bequem   *comfortable, comfortably*
bereit   *prepared*
der Berg(–e)   *mountain, hill*
das Berghotel   *mountain hotel*
der Beruf(–e)   *profession, occupation*
der Berufsberater(–)   *careers' adviser*
berühmt   *famous*
beschädigt   *damaged*
beschützen (beschützt)   *to protect*
der Besen(–)   *broom*
besetzt   *occupied*
besondere   *special, particular*
besonders   *especially*
sich (etwas) besorgen (besorgt)   *to get (something for oneself)*
besprechen (bespricht, [besprach], besprochen)   *to discuss*
besser   *better*
beste   *best*
bestellen (bestellt)   *to order*
der Besuch(–e)   *visit, visitor(s)*
sich betrinken ([betrank], betrunken)   *to get drunk*
das Bett(–en)   *bed*
bevor   *before*
bewundern (bewundert)   *to admire*
bezahlen (bezahlt)   *to pay*
das Bier   *beer*
das Bierzelt(–e)   *beer tent*
das Bild(–er)   *picture, photograph*
billig   *cheap(ly)*
die Bindung(–en)   *fastening*
bis   *to, till, until*

ein bißchen *a little, a bit*

bitte *please*

die Bitte(–n) *request*

bitten ([bat], gebeten) *to request, ask*

blau *blue, drunk*

bleiben ([blieb], ist geblieben) *to remain, stay*

die Blende(–n) *aperture (on camera)*

der Blick(–e) *view*

das Blinklicht(–er) *indicator light*

das Blitzlicht(–er) *flash-light*

blond *blond, fair-haired*

blühen (geblüht) *to bloom*

die Blume(–n) *flower*

die Blutwurst(–e) *black pudding*

der Boden(–) *ground, floor*

der Bodensee *Lake Constance*

böse *cross*

braten (brät, [briet], gebraten) *to fry, roast, grill*

das Brathendl(–) *grilled chicken (Bavarian)*

die Bratwurst(–e) *fried sausage*

brauchen (gebraucht) *to need*

braungebrannt *suntanned*

die Braut(–e) *fiancée, bride*

bravo! *well done!*

bremsen (gebremst) *to brake*

die Bremsspur(–en) *skid mark*

der Brief(–e) *letter*

der Briefkasten(–) *letter-box*

die Briefmarke(–n) *stamp*

der Briefträger(–) *postman*

bringen ([brachte], gebracht) *to bring*

das Brot(–e) *bread, loaf*

das Brötchen(–) *(bread) roll*

der Bruder(–) *brother*

der Brunnen(–) *well, fountain*

das Buch(–er) *book*

buchen (gebucht) *to book (flight, etc.)*

buchstabieren (buchstabiert) *to spell*

die Buchstabiertafel(–n) *spelling guide*

der Bühnenarbeiter(–) *stagehand*

der Bühneneingang(–e) *stage door*

das Büro(–s) *office*

die Butter *butter*

C

das Café(–s) *café*

der Charmante(–n) (ein Charmanter) *charmer*

der Chef(–s) *boss*

D

da *there, here, then*

dabei *with it, with them*

dafür *for it, for them*

dagegen *against it, against them*

dahin *there*

die Dame(–n) *lady*

der Damenfriseur(–e) *(pron. '-frisör')* *ladies' hairdresser*

damit *with it, with them*

danach *after it, after them, about it, about them*

der Dank *thanks*

danke *thank you*

danken (gedankt) (+ dem) *to thank*

dann *then, after that, in that case*

darauf *for it, for them, on it, on them*

daraus *out of it, out of them*

darin *in it, in them*

das *the; this, that; which*

daß *that*

das Datum (*pl.* Daten) *date*

dauern (gedauert) *to take (time)*

die Dauerwelle(–n) *permanent wave*

davon *of it, of them, about it, about them*

davon|laufen (läuft davon, [lief davon], ist davongelaufen) *to run off, run away*

dazu *to it, to them*

dein *your (familiar)*

dem *to the; to which, to whom*

den *the; (pl.) to the; whom, which*

denen *to whom, to which*

denken ([dachte], gedacht) (an + den) *to think (of)*

denn *then; as, since*

der *the; of the, to the; who, which; to whom*

des *of the*

deshalb *that is why, therefore*

der Deutsche(–n) (ein Deutscher) *German*

die Deutsche(–n) (eine Deutsche) *German (woman)*

das Dia(–s) *colour slide, transparency*

dich *you (familiar)*

dick *fat*

die *the; who, which*

der Dieb(–e) *thief*

die Diele(–n) *hall*

der Dienstag(–e) *Tuesday*

dieser *this, that*

diktieren (diktiert) *to dictate*

das Diplom(–e) *diploma*

K

dir   *to you (familiar)*

der Direktor(–en)   *director, manager*

der Dirigent(–en) (den/dem Dirigenten)
   conductor

doch   *but, yes, after all*

der Doktor(–en)   *doctor, Dr.*

der Dom(–e)   *cathedral*

der Domplatz(–̈e)   *cathedral square*

die Donau   *Danube*

das Doppelzimmer(–)   *double room*

dort   *there*

dorthin   *there, over there*

draußen   *outside*

drehen (gedreht)   *to turn*

drei   *three*

dreimal   *three times*

dreißig   *thirty*

dreizehn   *thirteen*

dreizehnte   *thirteenth*

drin   *in it*

dritte   *third*

die Drogerie(–n)   *chemist's*

drüben   *over there*

drücken (gedrückt)   *to press, pinch*

du   *you (familiar)*

duftend   *fragrant, sweet-smelling*

dumm (ü)   *stupid*

die Dummheit(–en)   *stupidity, silly action*

durch (+ den)   *through*

dürfen (darf, [durfte], gedurft)   *to be
   allowed, may*

der Durst   *thirst*

das Dutzend(–e)   *dozen*

sich duzen (geduzt)   *to call each other 'du'*

E

echt   *genuine(ly)*

die Ecke(–n)   *corner*

die Eifersucht   *jealousy*

eifersüchtig   *jealous*

eigentlich   *actually*

die Eigentumswohnung(–en)   *owner-
   occupied flat*

der Eilbote(–n) (den/dem Eilboten)
   special messenger

der Eilbrief(–e)   *express letter*

eilig   *hurried, in a hurry*

ein   *a, an, one*

die Einbahnstraße(–n)   *one-way street*

ein|bauen (eingebaut)   *to build in*

der Eindruck(–̈e)   *impression*

einer   *somebody, one*

der Eingang(–̈e)   *entrance*

ein|kaufen (eingekauft)   *to shop, go
   shopping, buy*

die Einkaufstasche(–n)   *shopping bag*

ein|laden (lädt ein, [lud ein] eingeladen)
   to invite

die Einladung(–en)   *invitation*

ein|laufen (läuft ein, [lief ein], ist einge-
   laufen)   *to pull in (trains, etc.)*

ein|legen (eingelegt)   *to put in, load
   (camera)*

einmal   *once, for once*

ein|packen (eingepackt)   *to wrap up,
   pack*

eins   *one*

der Einschreibebrief(–e)   *registered letter*

das Einschreiben(–)   *registered mail*

ein|steigen ([stieg ein], ist eingestiegen)
   to get in, board (train, etc.)

ein|stellen (eingestellt)   *to adjust, focus*

einunddreißigste   *thirty-first*

einundzwanzig   *twenty-one*

einverstanden   *agreed*

das Einzelzimmer(–)   *single room*

ein|ziehen ([zog ein], ist eingezogen)
   to move in

das Eis *(no pl.)*   *ice, ice-cream*

elegant   *elegant, smart*

der Elektriker(–)   *electrician*

elf   *eleven*

die Eltern *(pl.)*   *parents*

der Empfang(–̈e)   *reception (desk)*

der Empfangschef(–s)   *receptionist*

die Empfehlung(–en)   *recommendation;
   compliments, regards*

endlich   *at last*

der Engländer(–)   *Englishman*

der Entfernungsmesser(–)   *range finder*

entreißen ([entriß], entrissen) (+ dem)
   to snatch away (from)

entschuldigen (entschuldigt)   *to excuse*

entsetzt   *shocked, horrified*

entsprechen (entspricht, [entsprach],
   entsprochen) (+ dem)   *to corres-
   pond to*

er   *he, it*

das Erdbeereis *(no pl.)*   *strawberry ice*

die Erfahrung(–en)   *experience*

der Erfolg(–e)   *success*

sich erholen (erholt)   *to relax, recuperate*

sich erinnern (erinnert)   *to remember*

erkennen ([erkannte], erkannt)   *to
   recognise*

erklären (erklärt)   *to explain*

das Erlebnis(–se)   *experience, adventure*

erste   *first*

ertragen (erträgt, [ertrug], ertragen)   *to bear, suffer*

erwarten (erwartet)   *to expect*

erzählen (erzählt)   *to tell (a story)*

es   *it*

essen (ißt, [aß], gegessen)   *to eat*

das Essen(–)   *food, meal*

der Essig   *vinegar*

das Eßzimmer(–)   *dining room*

etwas   *something, anything, somewhat*

euch   *you, to you (familiar pl.)*

euer   *your (familiar pl.)*

F

fahren (fährt, [fuhr], ist gefahren)   *to drive, travel, go*

der Fahrer(–)   *driver*

die Fahrt(–en)   *trip*

der Fall(÷e)   *case*

falsch   *wrong(ly), the wrong way*

die Farbe(–n)   *colour*

färben (gefärbt)   *to dye, tint*

der Farbfilm(–e)   *colour film*

der Fasching   *carnival*

fast   *nearly, almost*

die Fastnacht   *Shrove Tuesday*

fatal   *tricky*

der Februar   *February*

die Feder(–n)   *feather*

fehlen (gefehlt)   *to be missing, lacking*

der Fehler(–)   *mistake*

feiern (gefeiert)   *to celebrate, hold*

das Feinkostgeschäft(–e)   *grocer's also selling delicatessen, wine, etc.*

das Fenster(–)   *window*

die Ferien *(pl.)*   *holiday(s)*

die Ferienreise(–n)   *holiday trip*

das Fernsehen   *television*

fertig   *finished, ready*

sich fertig|machen (fertiggemacht)   *to get ready*

das Fest(–e)   *feast, ball, party*

der Festiger(–)   *setting lotion*

fest|nehmen (nimmt fest, [nahm fest], festgenommen)   *to arrest*

die Festspiele *(pl.)*   *festival*

die Festung(–en)   *fortress*

das Feuer(–)   *fire, light*

der Film(–e)   *film*

finden ([fand], gefunden)   *to find, consider, think (of)*

die Firma (*pl.* Firmen)   *firm, business*

die Fischsuppe(–n)   *fish soup*

die Flasche(–n)   *bottle*

die Fleischerei(–en)   *butcher's shop*

fliegen ([flog], ist geflogen)   *to fly*

der Flug(÷e)   *flight*

der Flughafen(÷)   *airport*

das Formular(–e)   *form*

der Fotoapparat(–e)   *camera*

der Fotograf(–en) (den/dem Fotografen)   *photographer*

fotografieren (fotografiert)   *to take a photograph*

die Frage(–n)   *question*

fragen (gefragt)   *to ask*

der Frankenwein(–e)   *Franconian wine*

frankieren (frankiert)   *to frank*

die Frau(–en)   *Mrs, wife, woman*

das Fräulein(–)   *Miss, young lady*

frei   *free, vacant*

der Freitag(–e)   *Friday*

fremd   *strange, alien*

die Freude(–n)   *joy, pleasure*

freuen (gefreut)   *to please, give pleasure*

sich freuen (gefreut)   *to be pleased; (auf + den) to look forward to*

der Freund(–e)   *friend*

die Freundin(–nen)   *(woman) friend, girl friend*

freundlich   *kind, friendly*

frieren ([fror], gefroren)   *to freeze, feel cold*

frisch   *fresh*

der Friseur(–e) (*pron.* 'Frisör')   *hairdresser, barber*

die Frisur(–en)   *hair style*

froh   *glad, joyful(ly)*

früh   *early*

früher   *former(ly), earlier*

der Frühling   *spring*

die Frühlingszeit   *springtime*

das Frühstück   *breakfast*

frühstücken (gefrühstückt)   *to have breakfast*

das Frühstückszimmer(–)   *breakfast-room*

der Führerschein(–e)   *driving licence*

fünf   *five*

fünfundachtzig   *eighty-five*

fünfundsiebzig   *seventy-five*

fünfundzwanzigste   *twenty-fifth*

	fünfzehn	*fifteen*
	fünfzig	*fifty*
die	Funkstreife(–n)	*motorised police patrol*
	für (+ den)	*for*
der	Fuß(–e)	*foot*
der	Fußballclub(–s)	*football club*
das	Fußballspiel(–e)	*football match*

G

der	Galante(–n) (ein Galanter)	*gentleman (old-fashioned)*
der	Gang(–e)	*corridor*
der	Gangster(–) (pron. as in English)	*gangster*
	ganz	*quite, entire(ly), whole*
	gar kein	*no . . . at all*
	gar nicht	*not at all*
die	Garage(–n)	*garage*
die	Garderobe(–n)	*cloakroom*
der	Garten(–)	*garden*
der	Gasmann(–er)	*gasman*
die	Gasse(–n)	*lane, alley*
der	Gast (–e)	*guest*
das	Gasthaus(–er)	*inn*
das	Gebäck *(no pl.)*	*biscuits*
	geben (gibt, [gab], gegeben)	*to give*
der	Geburtstag(–e)	*birthday*
	geehrt	*esteemed*
	gefährlich	*dangerous*
	gefallen (gefällt, [gefiel], gefallen) (+ dem)	*to please, like*
der	Gefallen(–)	*favour, kindness*
das	Gefühl(–e)	*feeling*
	gegen (+ den)	*against*
die	Gegend(–en)	*neighbourhood, area*
das	Gehalt(–er)	*salary*
	geheimnisvoll	*mysterious*
	gehen ([ging], ist gegangen)	*to go, walk*
	gehören (gehört) (+ dem)	*to belong (to)*
die	Geistesgegenwart	*presence of mind*
	gelb	*yellow*
das	Geld	*money*
die	Geldbörse(–n)	*purse*
die	Gelegenheit(–en)	*opportunity*
	gemütlich	*cosy*
	genau	*exact(ly)*
	genug	*enough*
das	Gepäck *(no pl.)*	*luggage*
	gerade	*just (now), exactly*
	gern(e)	*gladly, willingly*
das	Geschäft(–e)	*business, shop*
	geschäftlich	*on business*
der	Geschäftsbrief(–e)	*business letter*
das	Geschenk(–e)	*gift, present*
die	Geschichte(–n)	*story*
die	Geschichtslehrerin(–nen)	*(woman) history teacher*
das	Geschlecht(–er)	*sex*
der	Geschmack *(no pl.)*	*taste*
	geschmackvoll	*tasteful(ly)*
die	Geschwindigkeit(–en)	*speed*
das	Gespräch(–e)	*telephone call, conversation*
der	Gespritzte (ein Gespritzter)	*wine mixed with soda water (Austrian)*
	gestern	*yesterday*
	gewöhnlich	*usually*
es	gibt	*there is, there are*
die	Gitarre(–n)	*guitar*
das	Glas(–er)	*glass*
die	Glatze(–n)	*bald head*
	glauben (geglaubt)	*to believe, think*
	gleich	*straight away, at once; same*
das	Gleis(–e)	*rails, track, platform*
das	Glück	*luck, happiness*
	glücklich	*happy*
der	Glückwunsch(–e)	*congratulations, good wishes*
das	Glückwunschtelegramm(–e)	*greetings telegram*
	gnädig	*gracious*
	gotisch	*Gothic*
der	Gott (–er)	*god*
das	Gramm(–e)	*gram*
	gratulieren (gratuliert) (+ dem)	*to congratulate*
	grau	*grey*
das	Grießnockerl(–n)	*semolina dumpling (Austrian)*
die	Grießnockerlsuppe(–n)	*soup with semolina dumplings (Austrian)*
	groß (ö)	*large, big, great*
	grün	*green*
der	Grund (–e)	*reason, grounds*
das	Grundbuch(–er)	*register of land (property)*
die	Grundgebühr(–en)	*basic charge*
	grünen (gegrünt)	*to turn green*
der	Gruß(–e)	*greeting*
	grüßen (gegrüßt)	*to greet, give regards to*
das	Gulasch	*goulash*
	gut	*well, good, fine; all right*
das	Gute (den/dem Guten)	*good thing*

H

das Haar(–e) *hair*
haben (hat, [hatte], gehabt) *to have*
halb *half*
die Halbpension *partial board*
die Halle(–n) *lounge, hall*
hallo *hello*
halt! *stop!*
halten (hält, [hielt], gehalten) *to stop*
die Hand(–e) *hand*
der Handwerker(–) *workman*
hängen (gehängt) *to hang*
das Haus(–er) *house*
nach Hause *home(wards)*
zu Hause *at home*
der Häusermakler(–) *estate agent*
die Hausfrau(–en) *housewife*
heiraten (geheiratet) *to marry, get married*
heiß *hot*
heißen ([hieß], geheißen) *to be called; mean*
helfen (hilft, [half], geholfen) (+ dem) *to help*
hell *light, pale (colour)*
hellgelb *pale yellow*
her *here*
herauf *up, upstairs*
herauf|bringen ([brachte herauf], heraufgebracht) *to bring upstairs*
heraus *out, outside*
her|bringen ([brachte her], hergebracht) *to bring (here)*
herein *come in; in, into*
herein|kommen ([kam herein], ist hereingekommen) *to come in*
herein|lassen (läßt herein, [ließ herein], hereingelassen) *to allow in, admit*
her|fahren (fährt her, [fuhr her], ist hergefahren) *to drive, come (here)*
her|kommen ([kam her], ist hergekommen) *to come here*
der Herr(–en) (den/dem Herrn) *Mr, gentleman*
der Herrenfriseur(–e) (*pron.* '-frisör') *men's hairdresser, barber*
herrlich *lovely, wonderful(ly)*
herum|fahren (fährt herum, [fuhr herum], ist herumgefahren) *to drive around*
herzlich *sincere, cordial*
herzlichst *sincerely*
heute *today*
heute abend *this evening*

heute morgen *this morning*
heute nachmittag *this afternoon*
hier *here, this is . . . speaking*
hierher *here, to this place*
die Hilfe *help*
hilflos *helpless*
der Himmel(–) *sky*
hin *there*
hinauf *up, upstairs*
hinaus *out, outside*
hinaus|gehen ([ging hinaus], ist hinausgegangen) *to go out(side)*
hinaus|schieben ([schob hinaus], hinausgeschoben) *to push out(side)*
hinaus|stellen (hinausgestellt) *to put, stand outside*
hin|bringen ([brachte hin], hingebracht) *to take (there)*
hinein *in, into*
hinein|gehen ([ging hinein], ist hineingegangen) *to go in, enter*
hinein|lassen (läßt hinein, [ließ hinein], hineingelassen) *to allow in, admit*
hin|fahren (fährt hin, [fuhr hin], ist hingefahren) *to drive, go (there)*
hin|gehen ([ging hin], ist hingegangen) *to go, walk (there)*
hin|laufen (läuft hin, [lief hin], ist hingelaufen) *to go, run (there)*
sich hin|setzen (hingesetzt) *to sit down*
hinten *behind, at the back*
hoch (höher) *high*
die Hochachtung *esteem, respect*
die Hochzeit(–en) *wedding*
die Hochzeitsreise(–n) *honeymoon*
hoffen (gehofft) *to hope*
hoffentlich *let's hope, I hope*
holen (geholt) *to fetch, get*
hopp und hopp *instruction to skiers to turn*
hören (gehört) *to hear, listen (to), can hear*
der Hörer(–) *listener*
die Hörerin(–nen) *(woman) listener*
das Hotel(–s) *hotel*
der Hoteldirektor(–en) *hotel manager*
die Hotelhalle(–n) *hotel lounge*
hübsch *pretty, nice*
der Hund(–e) *dog*
hunderteins *a hundred-and-one*
hundertmal *a hundred times*
hundertste *hundredth*
der Hunger *hunger*

der Hut(⸚e) *hat*
die Hütte(–n) *hut*

I

ich *I*
ideal *ideal*
die Idee(–n) *idea*
ihm *to him*
ihn *him, it*
ihnen *to them*
Ihnen *to you*
ihr *her; to her; their; you (familiar pl.)*
Ihr *your*
illustriert *illustrated*
im (= in dem) *in the, at a*
immer *always*
in (+ den *or* dem) *in, into; during, within (time)*
die Indianerin(–nen) *Red Indian (girl)*
ins (= in das) *into the*
intelligent *intelligent*
interessant *interesting*
das Interesse(–n) *interest*
interessieren (interessiert) *to interest*
das Interview(–s) (*pron. as in English*) *interview*
interviewen (interviewt) (*pron. as in English*) *to interview*
inzwischen *in the meantime*
der Irrtum(⸚er) *error, mistake*
Italien *Italy*

J

ja *yes; but*
das Jahr(–e) *year*
das Jahrhundert(–e) *century*
jawohl *yes indeed, certainly*
je! *oh dear, good gracious*
oh je! *heavens!*
jeder *each, every; everybody*
jedermann *everyone*
jedoch *however*
jetzt *now*
das Judo *judo*
der Juli *July*
jung (ü) *young*
der Junge(–n) (den/dem Jungen) *boy*
der Juni *June*

K

die Kabine(–n) *cabin, cubicle*
der Kaffee *coffee*
der Kaiserschmarren *pancake cut into pieces served with stewed fruit (Austrian)*
kalt (ä) *cold*
die Kamera(–s) *(film) camera*
der Kamin(–e) *fireplace, chimney*
sich kämmen (gekämmt) *to comb (one's hair)*
kaputt *broken down, ruined*
der Karneval *carnival*
das Karnevalsboot(–e) *carnival boat*
die Karnevalssitzung(–en) *carnival public meeting*
der Karnevalszug(⸚e) *carnival procession*
die Karte(–n) *ticket (theatre, etc.)*
die Kartoffel(–n) *potato*
die Kartoffelsuppe(–n) *potato soup*
kaufen (gekauft) *to buy*
sich (etwas) kaufen (gekauft) *to buy (oneself something)*
kehren (gekehrt) *to sweep*
kein *no, not a(n), not any*
keiner *nobody, not . . . one*
kennen ([kannte], gekannt) *to know, be acquainted with*
kennen|lernen (kennengelernt) *to meet, get to know*
die Kerze(–n) *candle*
das Kilo(–s) *kilo*
der Kilometer(–) *kilometre*
das Kind(–er) *child*
das Kino(–s) *cinema*
die Kirche(–n) *church*
die Kirsche(–n) *cherry*
klagen (geklagt) *to complain*
das Kleid(–er) *dress*
klein *small, little*
die Kleinigkeit(–en) *small thing, trifle*
der Kletterkurs(–e) *course for climbers*
klettern (ist geklettert) *to climb*
klingeln (geklingelt) *to ring*
klingen ([klang], geklungen) *to sound*
das Knie(–) *knee*
der Knödel(–) *dumpling*
kochen (gekocht) *to cook*
der Koffer(–) *suitcase*
der Kollege(–n) (den/dem Kollegen) *colleague*
Köln *Cologne*
komisch *funny, odd*

kommen ([kam], ist gekommen) *to come, get (to a place)*
das Kompott *stewed fruit*
die Königinpastete(–n) *chicken vol-au-vent*
können (kann, [konnte], gekonnt) *to be able to, can*
das Konzert(–e) *concert*
die Konzertreise(–n) *concert tour*
der Kopf(∸e) *head*
die Kost *(no pl.)* *fare, food*
kosten (gekostet) *to cost*
kostenlos *free of charge*
köstlich *delicious*
das Kostüm(–e) *costume, fancy dress*
das Kostümfest(–e) *fancy-dress ball*
der Kotflügel(–) *wing*
die Kraftfahrzeugpapiere *(pl.)* *car documents*
krank(ä) *ill, sick*
die Kreuzung(–en) *cross-roads*
das Kreuzworträtsel(–) *crossword puzzle*
die Kriminalpolizei *criminal police*
die Küche(–n) *kitchen, cooking*
der Kuchen(–) *cake*
der Kühlschrank(∸e) *refrigerator*
die Kundin(–nen) *(woman) customer, client*
die Kundschaft *clientèle*
der Kurs(–e) *course*
kurz (ü) *short*
der Kuß(∸sse) *kiss*
küssen (geküßt) *to kiss*
die Kutsche(–n) *coach*

L

lächeln (gelächelt) *to smile*
lachend *laughingly*
lackieren (lackiert) *to respray, paint*
das Land(∸er) *land, country; federal state of West Germany*
der Ländler(–) *type of country dance*
lang(e) (ä) *long, for a long time*
langsam *slow(ly)*
lassen (läßt, [ließ], gelassen) *to leave, let*
der Lastkraftwagen(–) (LKW) *lorry*
laufen (läuft, [lief], ist gelaufen) *to run, go*
die Laugenbrezel(–n) *type of bretzel*

der Lautsprecher(–) *loudspeaker*
leben (gelebt) *to live*
der Lebenslauf(∸e) *curriculum vitae*
die Leberwurst(∸e) *liver sausage*
legen (gelegt) *to lay, put; set (hair)*
leicht *easy, easily*
leid tun ([tat leid], leid getan) (+ dem) *to be sorry*
leider *unfortunately*
der Leihwagen(–) *hire car*
leise *quiet(ly), soft(ly)*
sich (etwas) leisten (geleistet) *to afford (something)*
lernen (gelernt) *to learn*
lesen (liest, [las], gelesen) *to read*
der Leser(–) *reader*
letzte *last*
der Letzte(–n) (den/dem Letzten) *last one, last person*
leuchten (geleuchtet) *to shine*
die Leute *(pl.)* *people*
das Licht(–er) *light*
lieb *dear; kind*
die Liebe *love*
lieben (geliebt) *to love*
lieber *rather*
der Liebesbrief(–e) *love letter*
lieb|haben (hat lieb, [hatte lieb], liebgehabt) *to love, be fond of*
der Liebling(–e) *darling*
am liebsten *preferably, best of all*
das Lied(–er) *song*
liegen ([lag], gelegen) *to lie*
der Liftboy(–s) *liftboy*
der Lindenbaum(∸e) *lime tree*
die Linie(–n) *(pron. 'Linje')* *number, route (of tram, bus)*
links *left, on the left*
die Linse(–n) *lens*
der\
das∫ Liter(–) *litre*
los *loose; going on*
die Luftmatratze(–n) *lilo*
die Luftpost *airmail*
die Lust *inclination, desire*
lustig *jolly, gay*

M

machen (gemacht) *to make, do*
mächtig *tremendous(ly), mighty*
das Mädchen(–) *girl*
der Mai *May*

mal *just, once, for once*
das Mal(-e) *time, occasion*
malen (gemalt) *to paint*
der Maler(-) *painter*
man *one, you, they*
der Mann(∸er) *man, husband*
die Mannschaft(-en) *team*
der Mantel(∸) *coat*
die Margarine *margarine*
die Mark (*no pl.*) *mark (German currency)*
die Marktfrau(-en) *market stall holder*
der Marktplatz(∸e) *market place*
der März *March*
die Maß *litre (jug of beer)*
der Maßkrug(∸e) *beer jug (holding litre)*
die Medizin *medicine*
das Meer(-e) *sea*
mehr *more*
die Meierei(-en) *dairy*
mein *my*
meinen (gemeint) *to mean, think*
am meisten *most of all*
die Meldepflicht *obligation to report*
der Mensch(-en) (den/dem Menschen) *human being; pl. people*
das Menü(-s) *set meal*
sich (etwas) merken (gemerkt) *to bear in mind, make a note of (something)*
die Mettwurst(∸e) *finely chopped pork sausage for spreading*
die Metzgerei(-en) *butcher's shop (south German)*
mich *me*
mieten (gemietet) *to hire, rent*
der Mietvertrag(∸e) *lease, contract of hire*
die Mietwohnung(-en) *rented flat*
das Milchgeschäft(-e) *dairy*
der Minister(-) *minister*
die Minute(-n) *minute*
mir *to me*
das Mißverständnis(-se) *misunderstanding*
mit (+ dem) *with*
mittags *at midday, in the early afternoon(s)*
das Mittelmeer *Mediterranean*
die Möbel (*pl.*) *furniture*
ich möchte *I should like*
Sie möchten *you would like*
modern *modern*
der Moment(-e) *moment*
der Monat(-e) *month*
der Montag(-e) *Monday*

morgen *tomorrow*
der Morgen(-) *morning*
morgen früh *tomorrow morning*
morgens *in the morning(s)*
das Mosaik(-e) *mosaic*
der Moselwein(-e) *Moselle wine*
die Motorhaube(-n) *bonnet*
müde *tired*
München *Munich*
das Museum(-een) *museum*
die Musik *music*
das Musikzimmer(-) *music-room*
müssen (muß, [mußte], gemußt) *to have to, must*
die Mutter(∸) *mother*

N

na! *well, now then*
nach (+ dem) *to (before place names); after; past (with time)*
nach|laufen (läuft nach, [lief nach], ist nachgelaufen) (+ dem) *to run after*
der Nachmittag(-e) *afternoon*
nachmittags *in the afternoon(s)*
die Nachricht(-en) *(piece of) news*
nach|sehen (sieht nach, [sah nach], nachgesehen) *to look up, check*
die Nachspeise(-n) *dessert*
nächste *next*
der Nächste(-n) (den/dem Nächsten) *next person, next one*
die Nacht(∸e) *night*
nachts *at night*
der Nachtschalter(-) *counter open at night*
der Nacken(-) *neck, nape*
nah (ä) *near*
der Name(-n) (den/dem Namen) *name*
natürlich *of course, naturally*
neben (+ den *or* dem) *next to, beside*
nebenan *next door*
nehmen (nimmt, [nahm], genommen) *to take*
nein *no*
nennen ([nannte], genannt) *to call, name*
der Nerv(-en) *nerve*
nervös *nervous, on edge*
nett *nice, kind*
neu *new*
neun *nine*
neunte *ninth*

neunzig *ninety*

nicht *not*

nicht mehr *no (not any) longer, no (not any) more*

nicht wahr? *isn't that so?*

nichts *nothing*

nie *never*

noch *still, yet, more*

noch ein *another*

noch ein(mal) *once more*

noch etwas *something more*

noch nicht *not yet*

das Nockerl(–n) *small dumpling (Austrian)*

die Nordsee *North Sea*

nötig *necessary*

nüchtern *sober*

nun *now, well now*

nur *only*

O

oben *(up) above, upstairs*

der Ober(–) *waiter*

das Obst (*no pl.*) *fruit*

oder *or; surely (as a question)*

offen *open, frank*

oft *often*

ohne (+ den) *without*

das Ohr(–en) *ear*

der Oktober *October*

das Öl *oil*

olympisch *Olympic*

die Oper(–n) *opera*

die Operette(–n) *operetta*

die Ordnung *order, tidiness*

organisieren (organisiert) *to organise*

Österreich *Austria*

der Österreicher(–) *Austrian (man)*

österreichisch *Austrian*

die Ostsee *Baltic Sea*

P

das Paar(–e) *pair, couple*

ein paar *a few*

ein paarmal *a few times*

das Päckchen(–) *small parcel*

packen (gepackt) *to pack*

paddeln (gepaddelt) *to go canoeing*

das Paket(–e) *parcel*

die Paketkarte(–n) *parcel form*

der Paketschalter(–) *parcel counter*

die Palatschinken (*pl.*) *pancake filled with jam (Austrian)*

das Papier(–e) *paper*

parken (geparkt) *to park*

der Parkplatz(–̈e) *car park, parking space*

das Parkverbot(–e) *no-parking*

die Party(–s) *party*

passen (gepaßt) zu (+ dem) *to go with, suit*

passieren (ist passiert) *to happen*

per *by*

die Person(–en) *person*

der Personenkraftwagen(–) (PKW) *(private) car*

die Perücke(–n) *wig*

der Pfennig(–e) *pfennig (German currency)*

der Pferdeschwanz(–̈e) *pony tail (hairstyle)*

pfiffig *cunning*

das Pfund(–e) *pound*

der Plan(–̈e) *plan*

die Platte(–n) *disc*

der Platz(–̈e) *seat, room; square*

plötzlich *suddenly*

die Polizei *police*

der Polizeiwagen(–) *police car*

der Polizist(–en) (den/dem Polizisten) *policeman*

der Polterabend(–e) *wedding-eve party*

der Pony *fringe*

der Portier(–s) (*pron.* 'Portje') *head porter (in hotel)*

das Porto(–s *or* Porti) *postage*

das Porträt(–s) (*pron.* 'Porträ') *portrait*

die Post (*no pl.*) *post, mail; post office*

das Postamt(–̈er) *post office*

die Postkarte(–n) *postcard*

der Preis(–e) *price*

die Premiere(–n) (*pron.* 'Premjere') *first night*

der Prinz(–en) (den/dem Prinzen) *prince*

die Prinzessin(–nen) *princess*

privat *private*

pro *per*

die Probe(–n) *rehearsal*

der Professor(–en) *professor*

das Programm(–e) *programme*

der Prospekt(–e) *brochure, prospectus*

der Punkt(–e) *dot, point*

pünktlich *punctual(ly)*

Q

die Quittung(–en) *receipt*

R

das Radio(–s)   *wireless, radio*
sich rasieren (rasiert)   *to shave (oneself)*
der Rat   *advice*
raten (rät, [riet], geraten)   *to guess*
das Rathaus(–er)   *town hall*
der Ratschlag(–e)   *advice*
das Rätsel(–)   *puzzle*
rauchen (geraucht)   *to smoke*
rechnen (gerechnet) mit (+ dem)   *to reckon with, count on*
die Rechnung(–en)   *bill*
recht haben   *to be right*
rechts   *right, on the right*
die Redaktion(–en)   *editorial office*
reden (geredet)   *to talk*
die Redensart(–en)   *saying*
die Redewendung(–en)   *expression, idiom*
regnen (geregnet)   *to rain*
die Reise(–n)   *journey, trip*
das Reisebüro(–s)   *travel agency*
die Reisegruppe(–n)   *(travel) party*
der Reiseleiter(–)   *courier, guide*
der Reitkurs(–e)   *course in riding*
die Reparatur(–en)   *repair*
reparieren (repariert)   *to repair*
die Reporterin(–nen)   *(woman) reporter*
reservieren (reserviert)   *to reserve, book*
das Restaurant(–s) *(pron. the French way)* *restaurant*
das Rezepisse(–)   *receipt (old fashioned)*
der Rhein   *Rhine*
der Rheindampfer(–)   *Rhine steamer*
die Rheinfahrt(–en)   *trip on the Rhine*
der Rheinwein(–e)   *Rhine wine, hock*
richtig   *(quite) right, correct(ly)*
der Rock(–e)   *skirt*
roh   *raw*
der Römer(–)   *large wine glass*
die Rose(–n)   *rose*
der Rosenmontag(–e)   *Monday before Lent*
das Rößl(–)   *little horse (Austrian)*
rosten (ist gerostet)   *to rust*
rot (ö)   *red*
der Rucksack(–e)   *rucksack*
rufen ([rief], gerufen)   *to call*
die Ruhe *(no pl.)*   *quiet, rest, peace*
ruhen (geruht)   *to rest*
der Ruhetag(–e)   *closing day, rest day*
ruhig   *quiet(ly), calm(ly)*

S

die Sache(–n)   *matter, thing, affair*
die Sachertorte(–n)   *chocolate gateau (Austrian)*
sagen (gesagt)   *to say, tell*
die Sahne   *(whipped) cream*
das Salär(–e)   *pay (old fashioned)*
der Salat(–e)   *salad, lettuce*
die Salzstange(–n)   *salted stick*
der Samstag(–e)   *Saturday*
der Sänger(–)   *singer*
die Sängerin(–nen)   *(woman) singer*
säumen (gesäumt)   *to delay, hesitate*
die Schachtel(–n)   *box, packet*
schade!   *a pity!*
der Schaffner(–)   *ticket collector, conductor (on train, bus, tram)*
der Schal(–s)   *scarf*
die Schallplatte(–n)   *record, disc*
das Schallplattengeschäft(–e)   *record shop*
der Schalter(–)   *ticket office, desk, counter*
das Schampun(–s)   *shampoo*
der Schatz(–e)   *sweetheart, treasure*
schauen (geschaut)   *to see, look (south German)*
der Scheinwerfer(–)   *spotlight*
schick   *smart*
schicken (geschickt)   *to send*
schieben ([schob], geschoben)   *to push*
das Schiff(–e)   *ship*
das Schild(–er)   *(road) sign*
der Schinken(–)   *ham*
die Schlafkammer(–n)   *small bedroom*
das Schlafzimmer(–)   *bedroom*
das Schlag (obers)   *whipped cream (Austrian)*
der Schlager(–)   *pop song*
die Schlange(–n)   *queue; snake*
schlecht   *bad(ly)*
der Schlepplift (–s or –e)   *drag lift*
schlimm   *serious, bad(ly)*
das Schloß(–sser)   *castle*
der Schluß (–sse)   *end, finish, conclusion*
schmal   *meagre, slim*
schmecken (geschmeckt)   *to taste;* (+ dem) *to like, enjoy food*
schmelzen (schmilzt, [schmolz], ist geschmolzen)   *to melt*
sich schminken (geschminkt)   *to put on make-up*
der Schnaps(–e)   *general name for spirits*
der Schnee *(no pl.)*   *snow*

schneiden ([schnitt], geschnitten) *to cut*

schnell *fast, quick(ly)*

das Schnitzel(–) *escalope*

die Schnulze(–n) *sentimental pop song*

die Schokolade *chocolate*

schon *already*

schön *nice, beautiful(ly), fine*

der Schoppen(–) *¼ litre of wine or beer, half a pint*

Schottland *Scotland*

schrecklich *awful(ly), terrible, terribly*

schreiben ([schrieb], geschrieben) *to write*

der Schuh(–e) *shoe, boot*

die Schuld *fault, guilt*

der Schürzenjäger(–) *'wolf'*

der Schutz (*no pl.*) *protection*

die Schutzpolizei *ordinary police*

schwärmen (geschwärmt) für (+ den) *to rave about*

schwarz (ä) *black*

der Schwarzwald *Black Forest*

der Schwarzweißfilm(–e) *black-and-white film*

die Schweiz *Switzerland*

schwer *heavy*

die Schwester(–n) *sister*

schwierig *difficult*

schwimmen ([schwamm], ist geschwommen) *to swim*

der Schwung(–e) *turn, (forward) swing*

sechs *six*

der See(–n) *lake*

segeln (gesegelt) *to go sailing*

sehen (sieht, [sah], gesehen) *to see, look, can see*

die Sehenswürdigkeit(–en) *sight, thing worth seeing*

sehr *very, very much*

die Seilbahn(–en) *cable car*

sein *his, its*

sein (ist, [war], ist gewesen) *to be*

seit (+ dem) *since, for*

die Seite(–n) *page, side*

die Sekretärin(–nen) *secretary*

der Sekt *German champagne*

selbständig *independent*

selbstverständlich *of course, certainly*

selig *happy, blessed*

der Semmelknödel(–) *bread dumpling*

senkrecht *down, vertical*

der September *September*

der Sessellift(–s or –e) *chair lift*

sich setzen (gesetzt) *to sit down*

sich *himself, herself, itself, oneself, yourself(ves), themselves*

sicher *sure(ly), certain(ly)*

die Sicherheitsbindung(–en) *safety fastening*

sie *she, her, it; they, them*

Sie *you*

sieben *seven*

siebenundzwanzigste *twenty-seventh*

siebzehnte *seventeenth*

der Sieg(–e) *victory*

das Silbenrätsel(–) *syllable puzzle*

singen ([sang], gesungen) *to sing*

sitzen ([saß], gesessen) *to sit*

der Skandal(–e) *scandal*

der Ski(–er) (*pron.* 'Schi') *ski*

Ski fahren (fährt Ski, [fuhr Ski], ist Ski gefahren) *to ski*

der Skifahrer(–) *skier*

der Skihandschuh(–e) *skiing glove*

der Skihang(–e) *ski slope*

die Skihose(–n) *pair of skiing trousers*

die Skihütte(–n) *ski hut*

der Skilehrer(–) *skiing instructor*

die Skipiste(–n) *ski run*

der Skischuh(–e) *ski boot*

der Skistock(–e) *ski stick*

der Skiurlaub *skiing holiday*

so *so, such; now then, I see, really; in this way, like this*

das Sofa(–s) *settee*

sofort *immediately, at once*

sollen (gesollt) *to be supposed to*

der Sommer(–) *summer*

sondern *but (instead), on the contrary*

die Sonne(–n) *sun*

die Sonnenbrille(–n) *pair of sunglasses*

sonnig *sunny*

der Sonntag(–e) *Sunday*

sonst *otherwise, besides, else*

die Sorge(–n) *worry*

soviel *so much*

Spanien *Spain*

spät *late*

der Spaziergang(–e) *walk*

der Speckknödel(–) *bacon dumpling*

die Speckknödelsuppe(–n) *bacon dumpling soup*

die Speisekarte(–n) *menu*

die Sperre(–n) *barrier*

die Spezialität(–en) *speciality*

der Spiegel(–) *mirror*
das Spiel(–e) *game*
spielen (gespielt) *to play*
sprechen (spricht, [sprach], gesprochen) *to talk (to), speak*
das Sprichwort(–er) *proverb*
das Stadion (*pl.* Stadien) *stadium*
die Stadt(–e) *town*
das Stadtmuseum (*pl.* Stadtmuseen) *municipal museum*
der Stadtpark(–s or –e) *municipal park*
der Stadtplan(–e) *town map*
das Stadtheater(–) *municipal theatre*
das Standesamt(–er) *registrar's, registry office*
statt *instead of*
die Steckdose(–n) *socket*
der Steckerlfisch *fried fish (Bavarian)*
stehen ([stand], gestanden) *to stand;* (+ dem) *to suit*
stehen|lassen (läßt stehen, [ließ stehen], stehengelassen) *to leave standing*
die Stelle(–n) *job, position; spot, place*
stellen (gestellt) *to put, stand*
das Stellenangebot(–e) *'situation vacant'*
das Stellengesuch(–e) *'situation wanted'*
der Stil(–e) *style*
still *silent, quiet*
stimmen (gestimmt) *to be correct*
die Stimmung(–en) *atmosphere, mood*
stören (gestört) *to disturb*
die Stoßstange(–n) *bumper*
die Straße(–n) *street, road*
die Straßenbahn(–en) *tram*
die Straßenverkehrsordnung *Highway Code*
streiten ([stritt], gestritten) *to quarrel*
der Strohsack(–e) *strawsack*
der Strudel(–) *strudel*
das Stück(–e) *piece, bit*
der Student(–en) (den/dem Studenten) *student*
studieren (studiert) *to study*
das Studio(–s) *studio*
das Studium *studies*
der Stuhl(–e) *chair*
die Stunde(–n) *hour; lesson*
suchen (gesucht) *to look for*
der Sucher(–) *view-finder*
der Supermarkt(–e) *supermarket*
die Suppe(–n) *soup*
süß *sweet*
der Swimmingpool(–s) *swimming-pool*

die Szene(–n) *scene*

T

der Tag(–e) *day*
die Tankstelle(–n) *petrol station*
die Tante(–n) *aunt*
der Tanz(–e) *dance, dancing*
tanzen (getanzt) *to dance*
tapezieren (tapeziert) *to paper*
die Tasche(–n) *bag*
der Taschendieb(–e) *pickpocket*
die Tasse(–n) *cup*
tausendmal *a thousand times*
tausendste *thousandth*
das Taxi(–s) *taxi*
der Taxifahrer(–) *taxi driver*
der Taxiunternehmer(–) *taxi operator*
der Tee *tea*
das Telefon(–e) *telephone*
telefonieren (telefoniert) *to telephone, ring up*
der Telefonist(–en) (den/dem Telefonisten) *switchboard operator*
der Telefontechniker(–) *post-office engineer*
das Telegramm(–e) *telegram*
der Teller(–) *plate*
die Terrasse(–n) *terrace*
teuer *expensive*
der Text(–e) *text*
das Theater(–) *theatre*
der Theaterdirektor(–en) *theatre manager*
tiefgekühlt *deep frozen*
die Tiefkühltruhe(–n) *deep freeze*
Tiroler *Tyrolean*
der Tisch(–e) *table*
toll *fantastic(ally), tremendous(ly)*
die Tomate(–n) *tomato*
der Tomatensalat(–e) *tomato salad*
der Ton(–e) *tone, shade*
die Tonaufnahme(–n) *recording*
tragen (trägt, [trug], getragen) *to wear, carry*
trauen (getraut) *to marry, perform the marriage ceremony*
der Traum(–e) *dream*
treffen (trifft, [traf], getroffen) *to meet*
die Treppe(–n) *staircase, stairs*
der Trick(–s or –e) *trick*
trinken ([trank], getrunken) *to drink*
trotzdem *all the same*
Tschüs! *bye-bye, cheerio*
tüchtig *capable, efficient*

tun ([tat], getan)   *to do, put*
die Tür(—en)   *door*

U

übel   *bad*
über (+ den *or* dem)   *above, over, via about*
überall   *everywhere*
überholen (überholt)   *to overtake*
sich (etwas) überlegen (überlegt)   *to think (something) over*
übermorgen   *the day after tomorrow*
übernehmen (übernimmt, [übernahm], übernommen)   *to take over*
die Überraschung(—en)   *surprise*
überreden (überredet)   *to persuade*
übertrieben   *exaggerated*
übrigens   *by the way*
die Übung(—en)   *exercise*
die Uhr(—en)   *watch, clock, time*
um   *at*
um . . . zu   *in order to*
umgekehrt   *the other way round, the reverse*
die Umleitung(—en)   *(traffic) diversion*
der Umschlag(÷e)   *envelope*
um|ziehen ([zog um], ist umgezogen)   *to move (house)*
sich um|ziehen ([zog um], umgezogen)   *to change (clothes)*
und   *and*
der Unfall(÷e)   *accident*
ungefähr   *about, approximately*
die Universität(—en)   *university*
uns   *us, to us*
unser   *our*
unten   *below, down there*
die Unterkunft(÷e)   *accommodation*
unterschreiben ([unterschrieb], unterschrieben)   *to sign*
unterwegs   *about, on the way*
unverbesserlich   *incorrigible*
der Urlaub   *leave, holiday*
die Ursache(—n)   *cause*
die U.S.A.   *U.S.A.*
usw. (= und so weiter)   *etc.*

V

die Verabredung(—en)   *appointment*
verbinden ([verband], verbunden)   *to connect*
verboten   *forbidden, prohibited*

verbringen ([verbrachte], verbracht)   *to spend (time)*
verdienen (verdient)   *to earn*
verführen (verführt)   *to seduce*
vergessen (vergißt, [vergaß], vergessen)   *to forget*
das Vergnügen   *pleasure, fun*
verkaufen (verkauft)   *to sell*
der Verkehr (*no pl.*)   *traffic*
der Verkehrsverein(—e)   *tourist office*
verkehrswidrig   *contrary to traffic regulations*
das Verkehrszeichen(—)   *traffic sign*
sich verkleiden (verkleidet)   *to disguise oneself*
sich verlieben (verliebt) (in + den)   *to fall in love (with)*
verlieren ([verlor], verloren)   *to lose*
sich verloben (verlobt)   *to get engaged*
der Verlobte(—n) (ein Verlobter)   *fiancé*
die Verlobung(—en)   *engagement*
die Verlobungsfeier(—n)   *engagement party*
verreisen (ist verreist)   *to go away, go on a journey*
verrückt   *mad, crazy*
verschieden   *different, various*
der Verschluß(÷sse)   *shutter (on camera)*
die Versicherung(—en)   *insurance*
die Verspätung(—en)   *delay, lateness*
verstehen ([verstand], verstanden)   *to understand*
versuchen (versucht)   *to try*
der Vertrag(÷e)   *contract, agreement*
der Verwandte(—n) (ein Verwandter)   *relation, relative*
die Verwarnung(—en)   *fine (for traffic offence)*
Verzeihung!   *sorry, I beg your pardon*
die Verzeihung(—en)   *forgiveness, pardon*
viel   *much, a lot of*
viele   *many, a lot of*
vielleicht   *perhaps*
vier   *four*
das Viertel(—)   *quarter, $\frac{1}{4}$ litre*
die Viertelstunde(—n)   *quarter of an hour*
vierundzwanzig   *twenty-four*
vierzehn   *fourteen*
der Vogelhändler(—)   *bird seller*
voll   *full(y)*
vollkaskoversichert   *fully insured*
die Vollpension   *full board*

voll|tanken (vollgetankt) *to fill up the tank*

vom (= von dem) *from the, of the, about the*

von (+ dem) *from, of, about*

vor (+ dem or den) *in front of, ago; to, before (time)*

vorbei|gehen ([ging vorbei], ist vorbei-gegangen) *to pass (by), go past*

vorbereiten (vorbereitet) *to prepare*

die Vorfahrtstraße(–n) *priority road*

vor|haben (hat vor, [hatte vor], vorge-habt) *to plan, intend*

der Vorhang(–e) *curtain*

vorhin *a little while ago*

vor|lesen (liest vor, [las vor], vorgelesen) *to read (out)*

vormittags *in the (late) morning(s)*

der Vorschlag(–e) *suggestion*

vorsichtig *careful(ly)*

die Vorspeise(–n) *first course, hors d'oeuvre*

sich (etwas) vorstellen (vorgestellt) *to imagine (something)*

vorzüglich *excellent*

W

waagerecht *across, horizontal*

Wachauer *from the Wachau region*

der Wachtmeister(–) *police constable*

der Wagen(–) *car*

wahr *true*

der Wald(–er) *wood, forest*

der Walzer(–) *waltz*

die Wand(–e) *wall*

wann *when*

das Warenhaus(–er) *department store*

warm (ä) *warm*

die Wärmflasche(–n) *hot-water bottle*

warten (gewartet) (auf + den) *to wait (for)*

warum *why*

was *what*

was für *what (kind of)*

sich waschen (wäscht, [wusch], gewaschen) *to wash (oneself)*

das Wasser *water*

Wasserski fahren (fährt Wasserski, [fuhr Wasserski], ist Wasserski gefahren) *to go water-skiing*

die Wechselstube(–n) *exchange bureau*

wedeln (gewedelt) *to make short turns in skiing*

weg *away, gone*

der Weg(–e) *way*

weg|schneiden ([schnitt weg], weggeschnitten) *to cut off*

weh tun ([tat weh], weh getan) (+ dem) *to hurt*

weil *because*

der Wein(–e) *wine*

die Weinstube(–n) *wine-bar, tavern*

weiß *white*

die Weißwurst(–e) *type of boiled sausage (Bavarian)*

weit *far*

weiter *further*

weiter|fahren (fährt weiter, [fuhr weiter], ist weitergefahren) *to drive on, continue*

weiter|hören (weitergehört) *to go on listening*

weiter|kommen ([kam weiter], ist weitergekommen) *to get on (in one's profession)*

weiter|machen (weitergemacht) *to carry on, continue*

welcher *which*

die Welle(–n) *wave*

die Weltreise(–n) *trip round the world*

wem *to whom*

wen *whom*

wenig *little, not much*

wenige *few*

wenn *if, when, whenever*

wer *who*

werden (wird, [wurde], ist geworden) *to get, become; shall*

werfen (wirft, [warf], geworfen) *to throw*

der Wert(–e) *value*

wetten (gewettet) *to bet*

das Wetter *weather*

wichtig *important*

wie *how, as, like*

wieder *again*

wiederholen (wiederholt) *to repeat*

die Wiederholung(–en) *revision*

auf Wiederhören *goodbye (on radio or telephone)*

wieder|kommen ([kam wieder], ist wiedergekommen) *to come again, return* wieder|sehen (sieht wieder, [sah wieder], wiedergesehen) *to see again, meet again*

das Wiedersehen *meeting, reunion*

auf Wiedersehen *goodbye*

Wien *Vienna*

Wiener *Viennese*

wieviel(e) *how much, how many*

winken (gewinkt) *to wave*

der Winter(–) *winter*

wir *we*

wirklich *really*

wissen (weiß, [wußte], gewußt) *to know (facts)*

wo *where*

die Woche(–n) *week*

das Wochenende(–n) *weekend*

die Wochenendreise(–n) *weekend trip*

wofür *what for*

woher *from where, from what source*

wohin *where to*

wohl *presumably, probably*

wohnen (gewohnt) *to live, stay*

der Wohnraum(–e) *living area, living room*

die Wohnung(–en) *flat*

die Wohnungstür(–en) *door of the flat*

das Wohnzimmer(–) *drawing room*

die Wohnzimmertür(–en) *drawing-room door*

wollen (will, gewollt) *to want (to)*

wollte(n) *wanted (to)*

womit *with what*

wonach *after what*

worauf *on what, for what*

woraus *from what, of what*

worin *in what*

das Wort(–er) *word*

wovon *about what, from what*

wozu *what for*

der Wunder(–) *wonder*

wunderbar *wonderful(ly)*

sich wundern (gewundert) *to be surprised*

der Wunsch(–e) *wish*

wünschen (gewünscht) *to wish*

das Würstchen(–) *(smallish) sausage for boiling or frying*

wütend *angry, furious*

Z

zart *delicate, gentle*

zehn *ten*

zehntausend *ten thousand*

das Zeichen(–) *sign, signal*

zeigen (gezeigt) *to show*

die Zeit(–en) *time*

die Zeitung(–en) *newspaper*

der Zeitungskiosk(–e) *newspaper stand*

die Zentralstelle(–n) *central office*

das Zeugnis(–se) *testimonial*

ziehen ([zog], gezogen) *to pull*

die Zigarette(–n) *cigarette*

die Zigeunerin(–nen) *gipsy woman*

das Zimmer(–) *room*

der Zimmernachweis *accommodation office*

die Zimmernummer(–n) *room number*

der Zimmerschlüssel(–) *room-key*

die Zimmervermittlung *accommodation office*

der Zirkus(–se) *circus*

die Zitrone(–n) *lemon*

zu (+ dem) *to, at*

zu *to; too*

zuerst *first, at first*

zufällig *by chance*

zufrieden *satisfied*

der Zug(–e) *train*

zu|hören (zugehört) *to listen to*

zu|lassen (läßt zu, [ließ zu], zugelassen) *to allow, permit*

zum (= zu dem) *to the*

zur (= zu der) *to the*

zurück *back*

zurück|kommen ([kam zurück], ist zurückgekommen) *to come back*

zurück|treten (tritt zurück, [trat zurück], ist zurückgetreten) *to step back*

zusammen *together*

sich zusammen|nehmen (nimmt zusammen, [nahm zusammen], zusammengenommen) *to pull oneself together*

das Zusammensein *meeting*

zusammen|stoßen (stößt zusammen, [stieß zusammen], ist zusammengestoßen) *to crash, collide*

der Zuschauer(–) *spectator*

zuverlässig *reliable*

zuviel *too much*

zwanzig *twenty*

zwanzigste *twentieth*

zwei *two*

zweimal *twice*

zu zweit *two together, the two of us together*

zweite *second*

zwölf *twelve*

zwölfte *twelfth*